Les plus belles
HISTOIRES DU SOIR
pour les petits

FLEURUS

Illustration de couverture : Mayana Itoïz

Direction : Guillaume Arnaud
Direction éditoriale : Sarah Malherbe
Édition : Anna Guével
Direction artistique : Élisabeth Hebert
Conception graphique : Amélie Hosteing
Mise en pages : Camille Gruenberg
Fabrication : Thierry Dubus, Anne Floutier

© Fleurus, Paris, 2011, pour l'ensemble de l'ouvrage
Site : www.fleuruseditions.com
ISBN : 978-2-2150-9846-1
MDS : 651 468
N° d'édition : 11147

Les plus belles
HISTOIRES DU SOIR
pour les petits

Fleurus

Sommaire

Demain, c'est la rentrée !

Depuis plusieurs jours, Martin le petit singe se réveille chaque matin en posant la même question à sa maman : « C'est aujourd'hui que je vais à l'école ?
– Non, mon ouistiti, encore un peu de patience, c'est demain la rentrée ! »
Martin est déçu… Il a tellement envie d'être un grand, comme son cousin Léon le gibbon qui est déjà en grande section.
« Grand-mère gorille t'a confectionné un joli cartable.
Tu devrais lui rendre visite… suggère sa maman.

– Youpi ! En plus, elle me fera un bon goûter ! À tout à l'heure, maman ! »
Et zou ! Martin saute de liane en liane à travers la jungle quand il tombe nez à nez avec Ulysse le serpent.

« Bonjour, Martin ! Où cours-tu sssi vite ?
– Je vais chercher mon cartable chez grand-mère gorille… répond Martin.
– Tu vas à l'école ? Comme tu as de la chanccce ! J'aimais beaucoup ma maîtresssse. Elle nous faisait dessssiner sur des grandes feuilles de bananier !

– Ah bon ! Moi aussi, je vais dessiner ?

– Bien sssûr ! Je t'offre ccce joli crayon à mettre dans ton cartable ! Bonne rentrée, Martin ! » siffle Ulysse.

Le petit singe, tout content, file à toute allure et atterrit sur la crinière de Léna la lionne.

« Rrrrr, tu m'as toute décoiffée, garrrnement !

– Excuse-moi, Léna ! Je suis pressé d'aller chercher mon cartable pour la rentrée.

– La rrrentrée des classes ? Génial ! Moi, j'adorrrais l'école !

– Moi, parfois, cela me fait un peu peur… avoue le petit singe.

– Tu vas te fairrre plein de copains à la rrrécrrréation, tu verrras ! Tiens, je t'offrrre un orrreiller tout doux pour l'heurrre de la sieste. Bonne rrrentrée, Marrrtin ! rugit la lionne.

– Merci, Léna ! »

Et hop !

Martin court vers la maison de grand-mère gorille,
quand il aperçoit Édouard, l'éléphant le plus vieux
de la savane.

« Coucou, Édouard ! Tu sais, demain je rentre
à l'école ! crie Martin.

– Ah ! Si ma mémoire est bonne, on fait plein
de choses intéressantes à l'école. Moi, ce que
je préférais, c'était la chorale. Je chantais à toute
trompe au spectacle de fin d'année.

– Super ! Je vais chanter moi aussi,
tu crois ? demande Martin.

– Mais oui ! Prends ce petit tambourin,
je te l'offre pour t'accompagner en musique.
Bonne rentrée, Martin ! »

Martin le remercie et arrive chez grand-mère gorille,
les bras chargés de tous ses cadeaux.

« Bonjour, mon petit singe adoré. Voici ton cartable pour ta première rentrée ! »
Martin découvre un sac à dos, juste à sa taille, en paille tressée et décoré de
perles multicolores. Grand-mère gorille a même pensé à broder son prénom.
« Comme ça, ta maîtresse ne le confondra pas avec celui d'un petit camarade ! »
Le soir, à la maison, Martin est très fier de montrer à sa maman
son crayon, son oreiller et son tambourin qu'il range à l'intérieur
de son magnifique cartable.

« Et mon doudou ? demande Martin.
– Tu auras le droit de l'emporter, ne t'inquiète pas », le rassure sa maman.
Oh ! Martin aperçoit des silhouettes devant sa fenêtre !
Ulysse, Léna et Édouard sont venus lui souhaiter bonne nuit :
« Fais de beaux rêves d'écolier, petit prince de la jungle !

Et demain, tout se passera bien… »

Pour bien préparer la rentrée

1 Avant les vacances d'été, tu pourras peut-être visiter ta nouvelle école. Tu es pressé de tout connaître et tu as raison : l'école, c'est vraiment génial !

2 Les vacances sont bientôt finies ! Reprends l'habitude de te coucher tôt le soir.

3 Pose toutes tes questions sur l'école à papa et à maman. Eux aussi, ils y allaient quand ils étaient petits…

Avec maman, prépare des étiquettes
avec ton nom et ton prénom
pour les coudre sur tes vêtements
et sur ton doudou.

5

Choisis un petit sac pour ranger
ton doudou, ta trousse avec
tes feutres préférés et ton goûter.

6

Avant de t'endormir, cligne des yeux
trois fois de suite, tourne la tête
à gauche, à droite. Te voilà tout calme
et prêt à faire de beaux rêves
de rentrée d'école !

Hugo et Coquelicot vont à l'école

Ce matin, Hugo et son doudou Coquelicot vont à l'école pour la première fois. Au moment de dire au revoir à papa, Coquelicot voit une petite larme couler sur la joue d'Hugo… Il a un peu envie de pleurer, lui aussi !
Papa les prend tous les deux sur ses genoux, puis il les câline en disant :
« À ce soir, mes chéris, je vous fais plein de bisous ! » Et zou !
Comme les autres enfants, Hugo dépose Coquelicot dans la corbeille à doudous. Pauvre Coquelicot ! Il est un peu perdu…

Et dans la classe, quel tintamarre !

C'est la ronde. Les enfants dansent et chantent à tue-tête.

Une petite fille à couettes tire Hugo par le bras.

« Elle est rigolote, pense Coquelicot. Elle me plaît bien, cette petite fille-là ! »

Après le grand chahut, plus un bruit… La maîtresse raconte une histoire.

Coquelicot ouvre grand ses oreilles. La voix de la maîtresse l'emmène

très loin, au pays des petits lapins ! Hugo rêve, lui aussi.

À côté de la petite fille à couettes, il est content content.

Maintenant, Coquelicot commence à avoir mal aux pattes !

Il ne peut pas bouger dans cette corbeille, tout coincé entre la souris verte et l'ours polaire. Ouf ! c'est l'heure de la récréation !

Dès que la maîtresse a le dos tourné, les doudous sortent de la corbeille. Ils font des cabrioles sur le tapis, jouent à cache-cache sous les petits bureaux et se bousculent devant la fenêtre, pour regarder les enfants jouer. Perché sur une chaise, Coquelicot aperçoit Hugo qui ne sait pas trop où aller... quand la gentille petite fille à couettes l'entraîne vers le tourniquet !

Quand Coquelicot veut redescendre de la chaise, patatras ! il dégringole sur l'éléphant. Rouge de colère, le gros doudou lui donne un coup de trompe.

C'est la dispute !

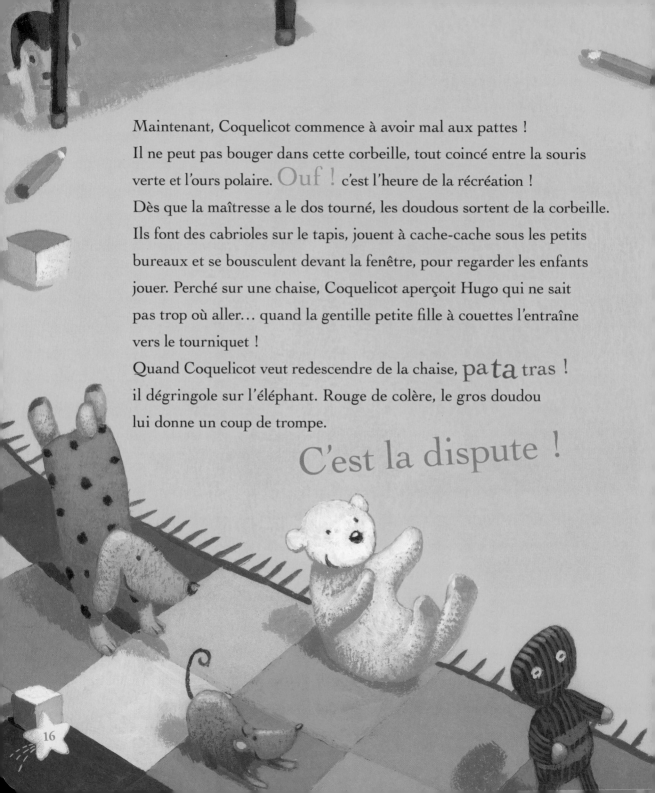

Heureusement, la poupée rose est là pour consoler Coquelicot.
Elle lui fait un gentil bisou et lui dit :
« Je suis le doudou de Séraphine, la petite fille à couettes.

Si tu veux, on pourrait devenir amis… »

Après le déjeuner, Coquelicot se sent tout fatigué. Hugo vient le
chercher pour la sieste. Il installe son petit matelas à côté de celui
de Séraphine. Alors, Coquelicot est le plus heureux des doudous :
il s'endort dans les bras d'Hugo, en regardant la poupée rose,
qu'il trouve très jolie.
Quand arrive l'heure des papas et des mamans,
Hugo et Coquelicot ont plein de choses à raconter,
et aussi plein de petits secrets qu'ils ne diront jamais !

Pour déposer son doudou dans la corbeille à doudous

1 Avant de laisser ton doudou dans la corbeille, visitez la classe tous les deux, et dites bonjour à la maîtresse.

Pour rassurer ton doudou, chante-lui une chanson, comme à la maison : « Ainsi font font font… »

2

3

Fais-lui un gros bisou.
Explique-lui gentiment qu'il
ne peut pas rester dans tes bras.

4

Dépose ton doudou dans la corbeille
à doudous. Dis-lui qu'il va se faire
plein de nouveaux copains !

Et surtout n'oublie pas de lui
dire que tu reviendras très vite
le chercher, pour un gros câlin.

5

19

Le lutin Beau-Teint

« Je déteste les lentilles et les carottes ! »

Émilien a crié si fort que l'eau de son verre a sursauté, mais sa maman répond

d'un ton tranquille : « De toute façon, tu n'aimes rien, Émilien.

— Si ! J'aime les frites et les pâtes-sauce-tomate !

— Je sais. Mais si je te faisais toujours ces plats-là, tu deviendrais gros et gras. »

Émilien, rouge de colère, tape du poing sur la table.

Au lieu de se fâcher, maman lui dit alors : « Veux-tu que je te raconte une histoire ?

Il était une fois un minuscule lutin qui avait pour chapeau le bout pointu

d'une carotte. On l'appelait le lutin Beau-Teint…

— Pourquoi ? demande Émilien intrigué.

— Parce que mon chapeau me donne bonne mine », réplique une voix

bourrue qui monte de l'assiette.

Émilien écarquille les yeux. Au milieu de son assiette, bien installé
sur les lentilles, il voit le lutin Beau-Teint.

L'étonnant personnage reprend d'un air faussement fâché : « Alors,
mon bonhomme, on fait un caprice pour manger ?

Tu as tort de refuser ces lentilles. Elles cachent un trésor précieux.

Bien plus précieux que les malles d'or d'une frégate de pirates.

– Ah… bon ? répond Émilien le souffle coupé.

– Creuse dans le tas, et tu verras ! » propose le lutin d'un air mystérieux.

Émilien ne se le fait pas dire deux fois : il attrape sa cuillère et se met
à piocher. Bouchée après bouchée, il dévore son plat sans même
s'en rendre compte, à la recherche du trésor enfoui.

L'assiette est vide.

Mais où est donc le trésor promis ?

« Dans ton ventre, mon garçon, dit le lutin. Tu as avalé le fer des lentilles.
Plus précieuses que l'or et l'argent, ses pépites vont te donner la force
d'un vrai pirate ! »

Émilien sent la moutarde lui monter au nez. On l'a bien attrapé !

D'un geste brusque, il enlève au lutin son chapeau de carotte, qu'il gobe tout
rond pour se venger. Le lutin décoiffé disparaît aussitôt comme par magie !

Juste à ce moment-là, maman dit :

« Bravo, Émilien !

Tu as tout mangé, même ta carotte !

L'histoire du lutin Beau-Teint aide toujours les enfants à finir leur assiette. »

Émilien n'y comprend plus rien. D'où sortait ce lutin ?

Mais déjà maman poursuit : « Tu as bien mérité ton dessert.

Que dirais-tu d'une glace vanille-chocolat ? »

Émilien sourit. Il dirait… qu'il n'y a pas de quoi faire une colère, cette fois !

En le voyant attaquer son dessert à grands coups de cuillère, maman éclate

de rire : « Quelle énergie ! On dirait un chef pirate en train de passer

à l'abordage ! Le lutin Beau-Teint n'a pas menti, tu sais… »

23

Pour ne pas faire de colère au moment du repas

1

Dans ton assiette, dessine un visage de bonhomme avec ta nourriture. Demande à tes parents de t'aider.

2

Mange trois bouchées et dis : « Bonhomme, j'ai déjà croqué tes deux yeux et ton nez… »

3

Mange trois nouvelles bouchées et dis : « Je suis un ogre affamé et je vais bientôt t'avaler tout entier… »

24

4

Bois un peu d'eau et respire un grand coup, cela donne des forces aux petits ogres !

5

Compte à nouveau quelques bouchées et dis : « Maintenant que tu as presque disparu, je vais bientôt savourer… »

6

Finis le bonhomme et prononce d'un air joyeux : «… un dessert bien mérité, hé hé ! »

Macaron, un ourson trop gourmand

Le soleil brille, les oiseaux chantent : une belle journée commence dans la Forêt des Délices ! Dans sa caverne, Macaron l'Ourson est tout excité : « Maman, maman ! Je peux partir en promenade ? Je t'apporterai des mûres pour tes confitures !

– D'accord, mon chéri », répond Maman Ours en lui tendant un panier.

Tout heureux, Macaron gambade et aperçoit un écureuil très occupé à faire des allers-retours le long d'un tronc d'arbre.

« Bonjour, Monsieur l'Écureuil ! Pourquoi courez-vous ainsi ?

– Je fais ma provision de noisettes pour l'hiver, pardi !

– Je peux en croquer quelques-unes ?

– Sers-toi, mon ami ! » répond l'écureuil.

L'ourson en avale de grosses poignées.

« Mmmm, dans la forêt, tout est bon,
parole de Macaron ! »

Quand il se remet en route, son ventre gargouille un peu.

Mais Macaron oublie très vite ces drôles de petits bruits.

« Quelle est cette bonne odeur ? »

Une abeille vient se poser sur son museau.

« Bzzz... Suis-moi. J'ai une surprise pour toi ! »

Macaron trottine avec joie et se retrouve bientôt au pied
d'une ruche.

« Veux-tu goûter le miel, Macaron ? demande l'abeille.

– Oh oui ! » L'ourson trempe sa patte dans un pot rempli
de miel parfumé. Il en mange un peu, en reprend
encore et encore… jusqu'à ce qu'il n'en reste plus
une seule goutte. Quel festin !

Le petit ours s'allonge dans l'herbe,
son ventre gonflé comme un gros ballon.

« Ouh ! là, là !
Dans la forêt,
tout est bon… »

27

Il sent de drôles de choses dans son ventre. C'est un peu comme si les
noisettes et le miel avaient organisé un grand feu d'artifice à l'intérieur.

« Coucou, Macaron ! Que fais-tu ici ? » demande son ami Monsieur l'Oiseau.

L'ourson se relève : « Tu sais, Monsieur l'Oiseau, mon ventre fait de
la musique depuis tout à l'heure. Il a peut-être envie de manger des mûres ?
J'ai promis à ma maman de lui en rapporter.

– Certainement, Macaron ! Suis-moi ! Je connais un endroit fabuleux ! »

Monsieur l'Oiseau avait raison. Macaron a rempli tout son panier.

Sur le chemin du retour, il ne résiste pas à l'envie d'avaler une mûre,
puis deux, puis trois…

« Miam ! Dans la forêt, tout… Aïe, aïe, aïe, mon ventre ! »

Macaron n'a plus envie de rire, il sent de grosses larmes couler sur ses joues.

Maman Ours l'aperçoit et court à sa rencontre. L'ourson a mangé
toutes les mûres du panier et il a peur de se faire gronder.

« Ouin ! Pardon, maman ! Pourquoi ça brûle à l'intérieur de mon ventre ?

– Viens te reposer et raconte-moi ce que tu as fait dans la forêt. »

Macaron fait le récit de toutes les choses délicieuses qu'il a mangées.

« Tu as été trop gourmand, mon oursinou. Ton ventre est fatigué
et il a besoin de se reposer », explique sa maman.

À l'heure du dîner, Macaron a juste le droit de boire du bouillon de légumes.

« Mon bobo va partir pendant la nuit ? demande l'ourson à sa maman.

– J'en suis sûre. Mon bouillon a des pouvoirs magiques ! »

Le lendemain matin, Macaron se réveille et découvre au pied de son lit Monsieur l'Écureuil, Madame l'Abeille et Monsieur l'Oiseau.

« Comment te sens-tu, Macaron ?

– Mon ventre est guéri, les amis !

On va se promener dans la forêt ?

– D'accord ! Mais seulement pour jouer avec les papillons ! »

Pour ne plus avoir mal au ventre

1

Si tu as trop mangé et que tu as mal au ventre, aïe, aïe, aïe ! Il faut mettre ton ventre au repos. Tu dis STOP aux bonbons et aux gâteaux, juste pour quelques jours, rassure-toi…

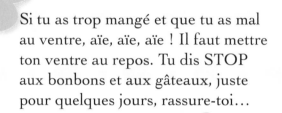

2

Ton ventre n'aime pas trop être serré dans tes vêtements. Mets vite ton pyjama préféré !

3

Papa t'apporte un grand verre de tisane. C'est une boisson chaude au bon goût de plantes. Bois à petites gorgées pour bien déguster. Mmm, ça fait du bien !

Allonge-toi sur ton lit et mets un coussin bien moelleux sur ton ventre. Avec papa, chantez votre chanson préférée, et la douleur sera vite oubliée. Quand tu retireras ton coussin, le bobo s'envolera avec lui.

Tu as encore un peu mal ? Inspire de l'air et souffle tout doucement quatre fois de suite. Prends tout ton temps.

Ce soir, avant de t'endormir, papa va confier un secret à ton ventre et demain, tu verras, le bobo ne sera plus là !

Une nuit chez Papi et Mamie

« À demain mon Petit Koala tout doux, dit Maman Koala.

– Non, Maman, ne t'en vas pas ! J'ai peur, répond Petit Koala.

– Mais de quoi as-tu peur mon chéri ? Tu vas rester avec Mamie et Papi, qui vont bien s'occuper de toi. Tu as de la chance.

– Oui, Maman, mais toi, tu ne seras pas là.

– Je ne serai pas loin et je reviendrai te chercher demain, assure Maman Koala.

– Promis ?

– Promis. Tu seras bien sage avec Mamie et Papi ? dit Maman Koala en serrant Petit Koala dans ses bras.

– Oui, Maman », lui répond Petit Koala en frottant son museau dans son cou.

Encore un baiser et Maman Koala s'en va.

C'est presque l'heure de se coucher. Petit Koala se brosse les dents et cherche son pyjama. Maman l'a oublié !

« Ce n'est rien, dit Mamie, tu vas mettre une des chemises de Papi ! »

Petit Koala trouve qu'il ressemble à un fantôme dans la grande chemise blanche de Papi…

« Ouh Ouh ! » Il court faire peur à Papi qui se cache dans son grand fauteuil. Petit Koala le poursuit :

« Attention Papi, c'est le fantôme de la chemise !

— AAAh, j'ai peur, répond Papi.

– Oui, prépare-toi, le fantôme va venir te faire des "guili"…

– Au secours, crie Papi, je suis attaqué par un fantôme très effrayant. »

Papi et son Petit Koala fantôme hurlent de joie.

Et, hop, ils s'installent tous les deux dans le fauteuil et Papi lui raconte une histoire. Les yeux de Petit Koala commencent à se fermer et il bâille.

« Viens, mon Petit Koala, je t'emmène te coucher »,
dit Mamie en le prenant dans ses bras.

Mamie le dépose dans le lit.

« Bonne nuit mon Petit Koala chéri », murmure Mamie en lui faisant un gros baiser. Elle lui caresse la joue puis s'en va.

Mais tout à coup, Petit Koala se sent un peu triste. D'abord, ce n'est pas vraiment son lit. Les draps n'ont pas la même odeur. Et la maison craque drôlement. Et surtout, Maman n'est pas là pour le bercer de mots tout doux.

« Mamie, 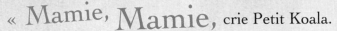 crie Petit Koala.

– Que se passe-t-il mon Petit Koala ?

– Je veux ma maman.

– Ta maman sera là demain, mon Petit Koala, elle te fera un gros câlin.

– Tu es sûre, Mamie ?

– Oui, mon chéri, je te le promets. »

Et Mamie commence à fredonner doucement. Petit Koala reconnaît cet air :
Maman Koala le chante toujours, le soir.

Déjà, il se sent mieux. Et le sourire
de Mamie le rassure.

Ce sourire aussi, il le reconnaît,
on dirait celui de Maman.

Alors, Petit Koala ferme les
yeux et, très tranquillement,
il s'endort.

Pour se coucher
sans faire d'histoire

Prends ton doudou
dans tes bras, serre-le très fort.

Explique-lui que, ce soir,
vous ne dormez pas dans votre lit mais
chez Papi et Mamie.

Dis à ton doudou qu'il ne faut pas s'inquiéter. Maman reviendra vous chercher pour vous ramener tous les deux à la maison.

Raconte-lui de quelle couleur est la chambre de Mamie et Papi, comment est votre nouveau lit.

Et surtout, fais-lui un gros câlin ! Puis dis-lui que maintenant, il faut dormir !

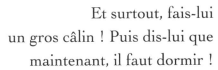

Le petit chevalier de la nuit

Ce soir, la chambre d'Arthur est vraiment bizarre. Brrr !

Arthur a peur qu'une méchante bête ne vienne lui chatouiller les pieds.

Soudain, il sursaute : il a entendu un drôle de bruit…

Vite, Arthur se cache sous sa couette et crie :

« Papa, viens vite ! Il y a un monstre sous mon lit ! »

Papa allume la lumière et le serre dans ses bras :

« Quand j'étais petit comme toi, j'avais peur du noir, moi aussi.

Alors mon papa m'a donné une petite lampe magique qui chasse

les ombres, les formes bizarres et même les petits cauchemars.

Tiens, la voilà, petit chevalier de la nuit ! »

Arthur est tout content d'avoir la belle lampe de papa.

Il lance de gros éclairs : « Pch pch. »

Papa continue :

« Pour faire partir les monstres,

il faut aussi connaître

une chanson.

Écoute bien. »

Papa se racle la gorge et entonne :

« Vous, les fantômes, tous les montres de la nuit,

prenez garde à moi.

Si vous venez m'embêter, vous terminerez en purée ! »

Arthur rit, serre la main de papa et chante :

« Vous finirez ratatinés, morts et enterrés ! »

Papa éteint presque toutes les lumières : la lumière du couloir,

celle de la salle de bains… Dans la chambre d'Arthur,

il laisse juste la petite veilleuse briller. Avant de partir, papa dit :

« Appelle-moi si tu as peur de quelque chose ! »

C'est le grand silence tout noir.

Arthur ne bouge plus d'un pouce.

Mais soudain, il sursaute.

Il a entendu du bruit dans le coffre à jouets.

Arthur a peur, très peur ! Il appelle :

« Papa ! »

Papa arrive, lui serre la main et lui dit :
« Allez ! Courage grand garçon !
Prends ta lampe magique
et n'oublie pas ta chanson ! »

Sa lampe de poche à la main,
Arthur se précipite vers le coffre
à jouets, il l'ouvre et envoie
des éclairs de lumière :
« Sortez d'ici, les monstres de la nuit !
Si vous revenez m'embêter,
vous terminerez en purée ! »

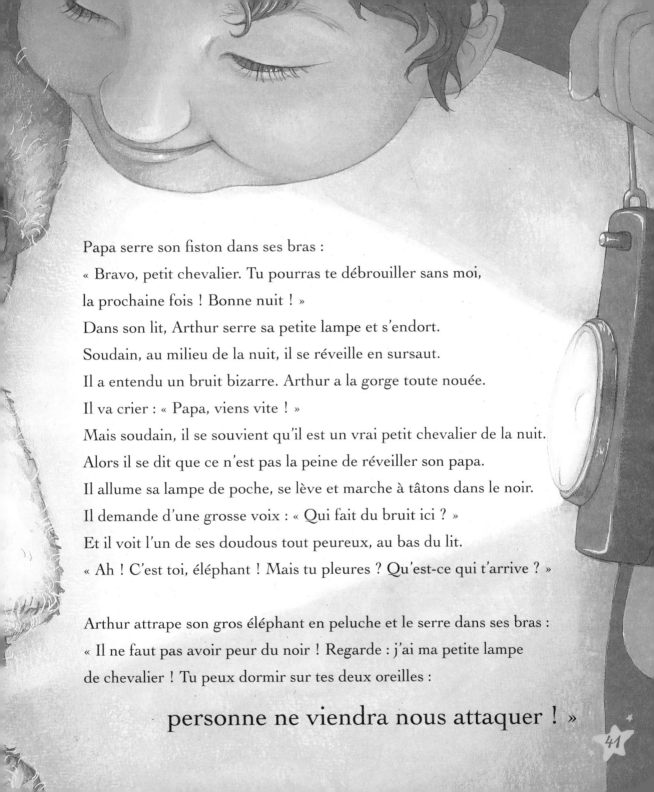

Papa serre son fiston dans ses bras :

« Bravo, petit chevalier. Tu pourras te débrouiller sans moi,

la prochaine fois ! Bonne nuit ! »

Dans son lit, Arthur serre sa petite lampe et s'endort.

Soudain, au milieu de la nuit, il se réveille en sursaut.

Il a entendu un bruit bizarre. Arthur a la gorge toute nouée.

Il va crier : « Papa, viens vite ! »

Mais soudain, il se souvient qu'il est un vrai petit chevalier de la nuit.

Alors il se dit que ce n'est pas la peine de réveiller son papa.

Il allume sa lampe de poche, se lève et marche à tâtons dans le noir.

Il demande d'une grosse voix : « Qui fait du bruit ici ? »

Et il voit l'un de ses doudous tout peureux, au bas du lit.

« Ah ! C'est toi, éléphant ! Mais tu pleures ? Qu'est-ce qui t'arrive ? »

Arthur attrape son gros éléphant en peluche et le serre dans ses bras :

« Il ne faut pas avoir peur du noir ! Regarde : j'ai ma petite lampe

de chevalier ! Tu peux dormir sur tes deux oreilles :

personne ne viendra nous attaquer ! »

41

Pour ne plus avoir peur du noir

1 Allonge-toi dans ton lit.
Mmm, on est bien sous une bonne
couette bien douillette.

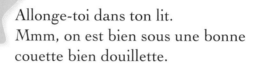

2 C'est l'heure de faire un gros dodo :
maman éteint la grande lumière.
N'aie pas peur : elle allume
aussi la petite veilleuse !

3 Maman vérifie partout qu'il n'y ait ni loup,
ni fantôme, ni monstre, ni sorcière !
Elle regarde dans tous les coins noirs,
dans les placards, derrière les rideaux, sous le lit…

Personne !

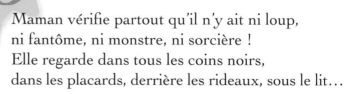

Maintenant, c'est l'heure des bisous tout doux. Mmm, c'est bon de sentir la bonne odeur du parfum de maman…

Si tu as encore un peu peur, serre fort ton doudou. Regarde le trait de lumière sous la porte : papa et maman sont juste à côté. Ils ne laisseront personne t'embêter.

Et maintenant, chut !
Plus un bruit !
La journée est finie.
Bonne nuit, à demain matin !

La machine à laver le singe

« Petit lapin, Petit lapin, où es-tu ?

– Je suis là, maman, répond Petit lapin.

– S'il te plaît, Petit lapin, apporte-moi Malin le singe.
Je vais laver les draps de ton lit et Malin aussi,
dit Maman lapin.

– Noooon, crie Petit lapin, pas Malin ! »

Petit lapin serre très fort Malin contre son cœur.

Il le renifle, le mordille, le respire encore.

C'est qu'il l'aime, ce petit singe tout doux !

«Il est vraiment trop sale, ton Malin,
s'exclame Maman lapin. Il doit se laver. »

Petit lapin réfléchit : si Maman lave Malin,
il ne sentira plus sa bonne odeur de singe.

« Noooon ! crie Petit lapin, pas Malin ! Moi, j'aime son odeur. »

Pourtant, il ne sent pas très bon, ce Malin. Il ne sent pas très bon des oreilles, ni des orteils. Mais Petit lapin adore son odeur. C'est l'odeur des câlins, celle qui console des gros chagrins.

Maman lapin prend Petit lapin dans ses bras.

« Ne t'inquiète pas, Petit lapin. La première heure, il sentira le propre, mais après, quand tu l'auras bien mordillé, un peu mâchouillé, il retrouvera sa bonne odeur de Malin. »

Maman a l'air bien décidée. Alors Petit lapin se gratte le front. Il se demande si cela ne va pas lui faire mal, à Malin, d'être lavé.

«Noooon, crie Petit lapin, il va avoir mal !

— Mais non, c'est comme toi, le soir, quand tu prends un bain et que tu joues avec tes canards.

— Mais il va se noyer ! crie Petit lapin.

— Mais non, mon bébé, répond Maman lapin, les peluches ne peuvent pas se noyer.

– Bon d'accord, dit Petit lapin. Mais où va-t-il se laver ? Dans la baignoire ?

– Non, c'est pour toi, Papa et moi, la baignoire, pas pour Malin.

Nous allons laver Malin dans la machine à laver le linge.

Ce sera la machine à laver le singe !

– Il ne va pas avoir peur ? s'inquiète Petit lapin.

– Non, tu vas lui faire un gros bisou pour le rassurer. Tu verras : il va

bien s'amuser. La machine, c'est comme un manège à doudous ! »

Petit lapin a le cœur gros, mais il obéit : il fait un câlin à Malin

et hop ! il le met dans la machine. Malin tourne, tourne, tourne

avec les draps, il danse avec les bulles de lessive !

C'est vrai qu'il a l'air de bien s'amuser, son Malin !

Malin ressort tout mouillé, l'air un peu fatigué d'avoir tellement ri.

Petit lapin veut le serrer dans ses bras tout de suite.

« Patience Petit lapin, il faut qu'il sèche maintenant pour qu'il retrouve son poil tout doux », dit Maman doucement.

Petit lapin attend longtemps, longtemps ! Enfin, ouf !

Maman lapin rend Malin à Petit lapin.

Il le prend dans ses bras, le serre très très fort, fronce le nez à l'odeur de la lessive et, sans y penser, commence à lui mâchonner la queue.

Il l'embrasse et lui souffle à l'oreille :

« Tu as été tellement courageux,

mon Malin, je suis fier de toi ! »

Pour mettre son doudou dans la machine à laver

1 Explique à ton doudou qu'il n'est pas très propre et qu'il doit se laver, comme tout le monde. Dis-lui que toi, tu prends un bain tous les jours.

Montre-lui la machine à laver et raconte-lui une belle histoire de bulles de savon et de manège, pour qu'il n'ait pas peur. **2**

Dis-lui que vous allez bientôt vous retrouver et fais-lui un gros câlin.

Dis-lui au revoir, embrasse-le très fort et mets-le dans la machine.

Ne t'inquiète pas, il va bien s'amuser et patience… après avoir été lavé, ton doudou doit sécher !

La petite fée du mercredi

Le mercredi, Pia passe l'après-midi chez sa grand-mère, Mamie Fifi. Quand elle arrive, elle entend le « tic tic » de la machine à coudre à travers la porte d'entrée.

Elle s'écrie :

« C'est ici, mon petit paradis du mercredi ! »

Mamie Fifi est couturière. Elle imagine des costumes et des parures pour les princes et les princesses du Tout-Paris. De jolies mariées défilent chez Mamie Fifi. Pour Pia, elles ont toujours un mot gentil.

Elles disent à Mamie Fifi :

« Quelle adorable petite-fille vous avez là ! »

Alors Mamie Fifi sourit fièrement : « Oh, oui ! »

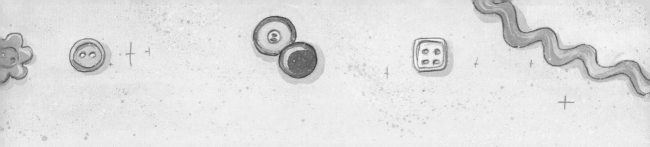

Pendant les essayages, Pia passe les épingles et devant les kilomètres de soie blanche, elle rêve :

« Un jour, moi aussi, j'aurai une robe de mariée, avec mille petits boutons et une traîne de reine... »

Après les jolies mariées, c'est au tour d'un vieux musicien, d'essayer son costume de concert : une queue-de-pie noire, triste comme la pluie !

Pia n'ose plus bouger, ni même lever les yeux.

Dès qu'il est parti, Pia s'écrie :

« Tu sais Mamie Fifi, tu devrais lui faire un costume orange.

Le noir lui donne un air triste, pauvre monsieur ! »

Mamie Fifi éclate de rire et regarde sa montre :

« Vite ! C'est bientôt l'heure de la danse ! »

Mamie Fifi laisse dormir sa machine
et ses bobines et main dans la main
avec sa petite-fille, elle sautille sur
le trottoir de la grande ville.

Arrivées au cours de danse, Pia saute
dans son tutu, esquisse un pas chassé, et
Mamie Fifi sort ses crayons pour dessiner
des costumes de ballet.

Un jour, quand Pia sera danseuse étoile, Mamie
Fifi lui confectionnera mille et un costumes
pour danser à l'opéra, des tutus de soie
couleur de lune, des robes en popeline,
légères comme le vent, et même des petits
chaussons de taffetas…

Après la danse, lentement,
reprend le « tic tic »
de la machine…

Avec sa machine, Mamie Fifi habille les poupées. Et Pia prépare une petite dînette pour le goûter.

Avec sa machine, Mamie Fifi répare les nounours, et Pia les promène, dans l'appartement.

Avec sa machine, Mamie Fifi coud jusqu'au soir, des déguisements merveilleux pour sa petite-fille chérie.

Le soir, quand la maman de Pia arrive sur le palier, elle entend le « tic tic » de la machine, et elle se demande bien qui elle va trouver derrière la porte d'entrée ! Un Petit Chaperon rouge ?

Une princesse magicienne ?

Un petit clown ?

Ou Pia, tout simplement ?

Pour dire merci à sa grand-mère

Pour remercier ta grand-mère de ces mercredis enchantés, prépare plein de trésors…

Dans un petit mouchoir, cache une plume d'oiseau, légère comme le vent… Elle fera voyager ta mamie au pays des rêves bleus.

54

Donne-lui aussi un bonbon à la fraise !
Vous pourrez le partager
toutes les deux !

Offre-lui ton dessin le plus beau, le plus réussi :
vous deux, le mercredi après-midi !
C'est un joli souvenir…

Voilà ! C'est terminé… Mais non,
pas encore ! Prépare un, deux, trois,
mille petits bisous à déposer
sur sa joue !

Petites écorchures et grandes aventures

Lucie et Louis jouaient dans le bois qui s'étendait derrière leur maison. Ils couraient à en perdre le souffle et riaient aux éclats. Soudain, boum ! au détour d'un tronc d'arbre, Lucie fonça dans Louis. Leurs fronts se cognèrent ; le choc les fit tomber par terre. Ils regardèrent leurs genoux écorchés où le sang s'était mis à couler.

Ils se touchèrent le front, où une grosse bosse commençait à pousser. Et ils se mirent à sangloter :

« Ouin, ouin ! »

Leurs pleurs ressemblaient à la sirène d'une voiture de gendarmes et leurs bosses brillaient comme des gyrophares.

Un lapin bondit vers eux : « Vous êtes la police ? Venez vite, un renard menace le terrier de mon frère ! » Louis et Lucie essuyèrent leurs larmes et suivirent le lapin.

Lorsqu'ils s'approchèrent du terrier menacé, le renard aperçut leurs ombres sur le sol. Vues de profil, les bosses semblaient énormes !

Le renard prit peur : « Sauve qui peut, deux rhinocéros ! »

Et il s'enfuit la queue basse. Les lapins sortirent du terrier et gambadèrent autour de leurs sauveurs pour les remercier. La maman lapin remarqua alors les genoux râpés de Louis et de Lucie. Elle cueillit de la mousse très douce qu'elle trempa dans un ruisseau pour laver les écorchures.

La caresse de l'eau faisait du bien, mais Lucie se remit à pleurer, parce qu'elle se rappelait soudain qu'elle avait mal : « Ouin, ouin ! »

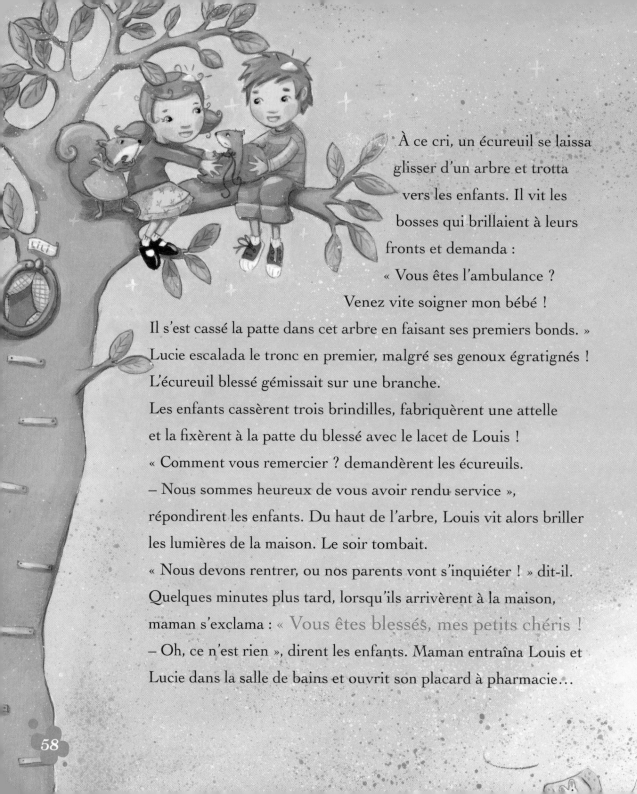

À ce cri, un écureuil se laissa glisser d'un arbre et trotta vers les enfants. Il vit les bosses qui brillaient à leurs fronts et demanda :

« Vous êtes l'ambulance ? Venez vite soigner mon bébé !

Il s'est cassé la patte dans cet arbre en faisant ses premiers bonds. »

Lucie escalada le tronc en premier, malgré ses genoux égratignés !

L'écureuil blessé gémissait sur une branche.

Les enfants cassèrent trois brindilles, fabriquèrent une attelle et la fixèrent à la patte du blessé avec le lacet de Louis !

« Comment vous remercier ? demandèrent les écureuils.

– Nous sommes heureux de vous avoir rendu service », répondirent les enfants. Du haut de l'arbre, Louis vit alors briller les lumières de la maison. Le soir tombait.

« Nous devons rentrer, ou nos parents vont s'inquiéter ! » dit-il.

Quelques minutes plus tard, lorsqu'ils arrivèrent à la maison, maman s'exclama : « Vous êtes blessés, mes petits chéris !

– Oh, ce n'est rien », dirent les enfants. Maman entraîna Louis et Lucie dans la salle de bains et ouvrit son placard à pharmacie…

« Aïe ! » gémirent-ils lorsque maman leur passa un coton de désinfectant sur le genou. Ils ravalèrent une larme ; et pour penser à autre chose, ils racontèrent les grandes aventures qu'ils avaient vécues grâce à leurs blessures.

Maman sourit : « Vous avez rêvé, mes trésors ! »

Louis protesta : « J'ai une preuve : il me manque le lacet de ma chaussure gauche ! » Maman souriait toujours en massant les bosses avec une pommade douce. Louis et Lucie n'avaient plus mal du tout.

« Quelle histoire magique, murmura Louis.

– Formidable, confirma Lucie.

– Incroyable… » termina maman en mettant de beaux pansements.

Pour bien soigner les bosses et les écorchures

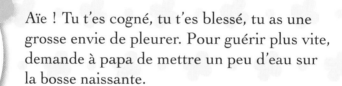

1 Aïe ! Tu t'es cogné, tu t'es blessé, tu as une grosse envie de pleurer. Pour guérir plus vite, demande à papa de mettre un peu d'eau sur la bosse naissante.

2 Puis papa étale une pommade bien fraîche sur ta bosse. Avec la caresse d'un massage tout doux, tu oublieras déjà à moitié ton bobo !

3 Si tu saignes, avec un nuage de coton, il faut mettre du désinfectant. Ça brûle un peu, mais ton super-papa sait comment calmer les picotements : un petit souffle léger sur la blessure et la douleur disparaît.

4

Il faut maintenant choisir un beau sparadrap et cacher l'égratignure. Dis à papa de viser juste : le carré tout doux du pansement doit couvrir pile la blessure !

5

Va vite montrer ton pansement et ton courage à tes amis. Si tu n'as même pas pleuré, ils seront vraiment impressionnés !

6

Avant de te coucher, n'oublie pas d'enlever ton pansement. Le marchand de sable va souffler une pincée de rêves sur ton bobo et cela finira de le sécher !

Vermeil et Mordoré

C'est l'automne. Au pied d'un chêne aux feuilles d'or, un petit marcassin appelé Mordoré vient de trouver un trésor : cinq glands bien lisses qui brillent comme des sous neufs !

Tout content, il se met à les faire rouler de-ci, de-là, lorsqu'une voix l'interpelle du haut du chêne : « Oh, les beaux glands ! »

En quelques bonds, Vermeil l'écureuil rejoint Mordoré :

« Tu veux bien qu'on joue ensemble ? »

Mordoré pousse un grognement de marcassin fâché. Son poil se hérisse.

Il baisse la tête, prêt à charger : « Ce sont MES glands !

C'est MOI qui les ai trouvés ! »

Vermeil remonte aussitôt sur son chêne.

Une fois à l'abri, il lance d'un ton moqueur :

« Tant pis ! J'ai des centaines de billes.

J'aurais pu te les prêter… mais je n'ai plus envie

de jouer avec toi ! »

À ces mots, Mordoré entre dans une terrible fureur.

Il imite son père, le roi des sangliers, lorsque celui-ci

est en colère : il se jette contre le tronc du chêne

dans l'espoir de le déraciner…

« Donne-moi tes billes. Je les veux ! » hurle-t-il.

Pour toute réponse, il reçoit sur la tête une boule

pleine de piquants. Aïe !

Mordoré se frotte le crâne et examine le projectile qui s'est ouvert en deux.
À l'intérieur se trouve un superbe marron doux et rond.

« Qu'est-ce que tu penses de ce marron ? dit Vermeil. Tu as eu tort de ne pas
partager tes jouets. On aurait pu faire des échanges… mais maintenant
il est trop tard ! »

Cette fois, Mordoré est dans une colère noire. Il s'apprête à charger
de nouveau, lorsque sa rage se transforme en peur : il vient d'entendre
des aboiements. Une meute de chasse arrive au galop.

Le marcassin effrayé se met à courir sur ses pattes trop courtes, mais déjà
les chiens débouchent dans la clairière !

Du haut de son arbre, Vermeil n'hésite pas une seconde. Les chiens sont ses
pires ennemis : malgré la colère de Mordoré, il décide de sauver le marcassin
et déverse à terre toute sa collection de billes. À demi assommés, les chiens
s'arrêtent tout étourdis.

Lorsqu'ils tentent de repartir, leurs pattes roulent sur un épais tapis de billes
et de calots ! Glissant et trébuchant, les chiens renoncent à poursuivre
Mordoré qui s'est caché dans un trou profond. Ils font demi-tour,
la queue basse, pour rejoindre les chasseurs…

Quelques instants plus tard, Mordoré pointe prudemment le bout de son groin
hors de sa cachette, trotte jusqu'au marronnier et appelle Vermeil :

« Merci de m'avoir sauvé la vie. Je te prête mes glands avec plaisir et…
tu veux bien jouer avec moi ? »

D'un bond, Vermeil est en bas. Il dit à son nouveau copain : « Tu sais ?

Tu es bien plus beau
quand tu n'es pas fâché… »

Pour prêter ses jouets sans faire de colère

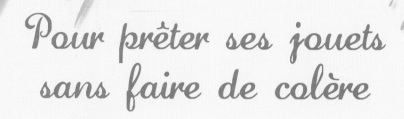

1

Dis à ton jouet que tu aimes bien jouer avec lui…

2

… mais que c'est bien aussi que d'autres enfants jouent avec lui.

3

Si un petit copain te demande ton jouet, ne lui dis pas non.

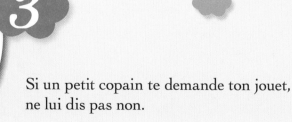

4

Dis-lui : « Je veux bien te le prêter, mais après tu me le rends. »

5

En attendant de retrouver ton jouet, tu peux demander à ton copain de t'en prêter un : tu découvriras ainsi un autre jeu !

6

Vous pouvez aussi jouer ensemble. Dis : « Je veux bien te le prêter pour qu'on y joue tous les deux. » C'est encore mieux !

Le doudou de Petit Louis

Ce soir, Petit Louis ne veut pas aller se coucher. Il ne trouve plus
son doudou. Un nounours farceur qui se cache quand on le cherche !
Petit Louis ne peut pas dormir sans Nounours.
La nuit, il frotte sa fourrure contre sa joue.
Nounours le câline et lui murmure des mots très doux.

Petit Louis court dans la maison. Il dit en riant :
« Nounours, si tu me montres le bout de ton nez,
je te donnerai un baiser, deux baisers, trois baisers, mille baisers… »

Petit Louis cherche partout : dans la baignoire, dans les placards,
dans la poussette des poupées, dans le coffre à jouets… Pas de doudou !
Petit Louis se met à pleurer :

« Nounours est perdu pour toujours. »

Papa le serre dans ses bras.

« Ne pleure pas, Petit Louis. Mon petit doigt me dit que Nounours est parti en voyage… »

Petit Louis retient un sanglot et répète : « En voyage ? »

Papa explique : « Les doudous aiment tendrement les petits enfants, mais ils aiment bien voir du pays, de temps en temps. Ils s'en vont un jour ou deux et reviennent, tout contents… »

Petit Louis se blottit dans les bras de papa. Il écoute.

« Pour partir en voyage, Nounours a grimpé sur le dos d'une oie sauvage.

Du ciel, il découvre des milliers de paysages. » Petit Louis sourit.

Il imagine Nounours, les bras serrés autour du cou du gros oiseau…

« Nounours arrive en Afrique. L'oie le dépose tout en haut d'un baobab !

Nounours se penche pour voir le sol de la savane. »

Petit Louis crie : « Attention, Nounours ! Si tu tombes, tu vas te casser la tête ! »

Mais papa reprend d'un ton joyeux :

« Heureusement, une girafe arrive, majestueuse, sur ses longues pattes.

Elle lui dit :

"Monte sur ma tête, petit Nounours ! Et glisse le long de mon cou !"

Nounours s'élance. Hop, il atterrit entre les cornes de la girafe et zou !

il glisse, jusqu'en bas, longtemps, longtemps. Le cou d'une girafe,

c'est le plus grand toboggan du monde !

Un crocodile gentil s'approche. Sur son dos, Nounours fait le tour

de la rivière. Pour son goûter, il mange des bananes avec les petits singes

acrobates et, quand l'heure du bain arrive, un vieil éléphant l'aide à faire

sa toilette. Il prend de l'eau dans sa trompe et… pschitt !

Il l'éclabousse. Quelle drôle de douche ! »

Petit Louis voudrait que l'histoire ne finisse jamais.

Les mots chantent dans sa tête et les images dansent dans ses yeux.

Il s'endort, tout heureux. Dans son rêve, il voit Nounours qui l'appelle :

« Petit Louis ! Petit Louis ! Viens me chercher ! »

Alors Petit Louis pense : « La prochaine fois, je lui prêterai mon écharpe.

Mon écharpe est toute douce, elle sent bon mes bisous. Avec mon écharpe,

Nounours n'aura jamais peur de rien…

Pour choisir
son nouveau doudou

1 Choisis un nouveau doudou : celui que tu trouves le plus beau, le plus doux, celui qui sent bon les bisous.

2 Donne-lui un nom. Dans le creux de l'oreille, raconte-lui un secret vraiment secret.

3 Regardez tous les deux par la fenêtre et dites bonsoir à la lune.

Installez-vous bien confortablement dans ton lit. Là, voilà. Pour le bercer, chante-lui ta chanson préférée.

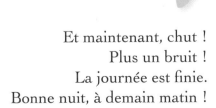

Dépose un petit baiser sur le nez de ton nouvel ami, un baiser tout doux, tout câlinou. Pour lui souhaiter une bonne nuit, tu peux dire :
« Dors vite, gentil doudou ! Demain, promis, je t'emmènerai partout avec moi ! »

Et maintenant, chut !
Plus un bruit !
La journée est finie.
Bonne nuit, à demain matin !

73

Une journée bien remplie

Ce matin-là, Émile le mille-pattes est tout content d'arriver le premier dans sa classe. Il a besoin de temps pour mettre ses dix paires de chaussons.

Mademoiselle Libellule accueille ses élèves :

« Bonjour, Émile, comment vas-tu ?

Oscar, n'oublie pas de mettre ta coquille au vestiaire ! » rappelle-t-elle au petit escargot.

Avec toutes ses paires de mains, Émile est le plus rapide pour fouiller parmi les prénoms et coller son étiquette au tableau.

Mademoiselle Libellule fait vibrer ses ailes et réclame le silence :

« Un peu de calme, les enfants ! Mettez vos blouses et installez-vous dans le coin peinture ! Vous allez dessiner une maison. N'oubliez pas le toit, la porte et les fenêtres !

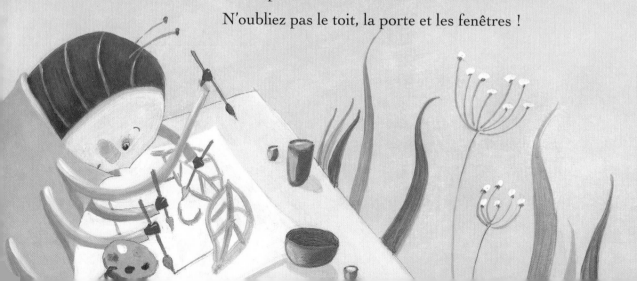

— Ouiiiii ! » répondent joyeusement tous les élèves.

Émile adore la peinture. Avec toutes ses pattes, il peut étaler en même temps du bleu, du jaune, du vert et du rose ! Il s'applique : c'est difficile de ne pas faire déborder les couleurs les unes sur les autres.

« Oh ! Ta peinture est magnifique, Émile ! Je vais l'afficher sur le mur », dit Mademoiselle Libellule. Émile sent ses joues devenir toutes rouges.

Il est très fier de son travail !

Driiiing ! C'est déjà l'heure de la récréation !

Dans la cour, Émile glisse sur le toboggan tulipe et retrouve Isabelle la coccinelle, qui est dans la classe de Monsieur Scarabée : « Tu viens jouer à pou perché ? »

Hop ! Simon le hérisson lance le ballon champignon à Arnaud le crapaud.

Quel bonheur de jouer avec ses amis ! **Oh !** C'est déjà fini…

En rang par deux, les petits élèves se rendent dans la salle de motricité.

C'est « le jour du parcours » !

Le pauvre Oscar a du mal à suivre les autres dans le tunnel de feuilles de chêne et à rester en équilibre sur les marrons !

Émile, lui, a besoin de Miss Luciole pour refaire les lacets de ses dix baskets.

Elle est vraiment gentille, Miss Luciole !

C'est elle qui aide les élèves à ranger leurs affaires, à moucher leur petit nez ou à remettre leurs bretelles.

De retour dans la classe, les enfants découvrent des noix de toutes les couleurs sur les tables.

« Les enfants, vous allez faire de beaux colliers. Attention ! Il faudra compter sans se tromper : deux noix rouges, une noix bleue, trois noix vertes. »

Simon pose une noix rouge sur son nez et fait le clown. Émile éclate de rire !

« Chut, chut, il ne faut pas déranger ses camarades ! » gronde gentiment Mademoiselle Libellule.

Émile se concentre.

« Bravo, Émile,

tu pourras rapporter ton collier à la maison et l'offrir à ta maman ! »
lui dit sa maîtresse.

Émile demande si c'est bientôt l'heure des parents.

« Un peu de patience ! »

Mademoiselle Libellule rassemble les enfants autour d'elle :

« Les enfants, asseyez-vous ! C'est l'heure du conte ! »

Tous en cercle autour de la maîtresse, les petits élèves écoutent
avec attention *La Petite Fourmi rouge*.

À la fin de l'histoire, comme par magie, la porte s'ouvre,
et Émile voit sa maman mille-pattes qui le regarde tendrement
et lui ouvre grandes…

toutes ses paires
de bras !

Pour passer une bonne journée à l'école

1 « Bonjour, maîtresse ! » Un mot gentil quand tu entres dans la classe, c'est poli et cela fait plaisir…

2

Écoute attentivement ce que dit ta maîtresse et prends ton temps pour dessiner tes lettres ou compter les billes. Chut ! On ne discute pas avec le voisin !

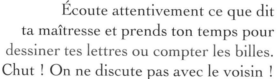

3

Préfères-tu le coin cuisine avec la dînette ou le coin lecture avec les gros coussins et les beaux livres ?

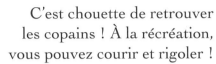

C'est chouette de retrouver
les copains ! À la récréation,
vous pouvez courir et rigoler !

Tu t'es fait mal dans la cour ? L'exercice est
trop dur ? Si quelque chose te trotte dans
la tête, dis-le tout de suite à ta maîtresse…

Quand papa et maman viennent
te chercher, montre-leur tes beaux
dessins affichés au mur de la classe.
Bravo, tu as bien travaillé !

Gaspard
et le lit magique

Sous sa jolie couette de plumes, Gaspard est le plus heureux des petits
princes. Après une bonne journée, quel bonheur de poser sa tête sur l'oreiller. Comme chaque soir, maman lui caresse les cheveux
et lui fait des bisous tout doux.
« Bon voyage au pays des rêves, mon Gaspard chéri… »

Les paupières de Gaspard sont lourdes, lourdes, pleines de sommeil.
Il se laisse bercer par le dernier chant des oiseaux.
Un petit vent qui fait rêver passe par la fenêtre entrouverte.

Gaspard a la tête dans les étoiles…

Soudain, son petit lit se met à bouger doucement… Il décolle, il s'envole !

Gaspard se frotte les yeux. A-t-il rêvé ? Mais non, il ne se trompe pas.

Son petit lit quitte lentement sa chambre, par la fenêtre.

Tout content, Gaspard agite sa main :

« Au revoir, mes petits chaussons. Au revoir, la maison ! »

« Bon voyage, Gaspard ! » lui souhaitent en chœur les ours en peluche
en agitant leurs pattes de velours.

Le petit lit fait quelques loopings au-dessus du jardin, puis il monte
vers le ciel et survole la grande rue éclairée.

Le petit lit va de plus en plus vite. Gaspard serre fort sa couette de plumes,
pour qu'elle ne s'envole pas dans les nuages.

Gaspard est tout excité.

Il claque des doigts et dit : « Allez, mon petit lit magique… emmène-moi…
au parc… On va retrouver les copains ! »

Le lit de Gaspard survole le toboggan des grands.

Gaspard appelle : « Coucou, les copains ! Regardez où je suis ! »

Mais il n'y a personne sur le toboggan.

Personne sur la balançoire.

Personne dans le parc.

La nuit, tous les enfants dorment !

Gaspard a une autre idée :
« Petit lit magique, emmène-moi au bord de la mer !
Sur la jetée, je mangerai une glace en regardant
les bateaux. » Le petit lit survole l'océan. Quand il arrive
près du camion de glaces, Gaspard demande gentiment :
« Un double cornet vanille-fraise,
s'il vous plaît, madame ! »
Mais la marchande de glaces a fermé son camion
depuis longtemps, aucun bateau ne vogue sur les flots…
Gaspard réfléchit. Il claque des doigts et dit :
     « Mon petit lit magique…
        emmène-moi… à la montagne !
        Je veux faire de la luge ! »

Le lit de Gaspard survole les forêts et les collines, et se pose au sommet
d'une très haute montagne.

Gaspard pose le bout de son pied sur la neige gelée.

Brrrrr ! Comme c'est froid !

Gaspard grelotte. Il n'a plus très envie de sortir de son lit.

Il frissonne, remonte sa couette jusqu'au bout de son petit nez gelé,
bâille et bâille encore.

Ses yeux se ferment tout seuls.

Alors il claque des doigts et dit : « Mon petit lit magique…

emmène-moi… chez moi, bien au chaud…

C'est encore ce qu'il y a de mieux, pour faire des rêves merveilleux ! »

5 bisous magiques
pour s'envoler au pays des rêves

1 Installe-toi bien dans ton lit, en laissant une petite place pour ton papa. Pour t'envoler au pays des igloos, frotte ton nez sur celui de papa, comme ça ! C'est rigolo, c'est le « bisou esquimau » !

2 Le « bisou à guili » est celui qui fait le plus de bruit ! Bien au milieu, dans le petit trou du ventrou, c'est un bisou tout fou !

3 Le « bisou dans le cou » est un coquinou… Il fait voyager au pays des câlins et des baisers.

Pour t'envoler au pays des fées,
rien ne vaut le « baiser papillon ».
Papa frotte ses cils contre ta joue…
Mmm… c'est doux, c'est bon !

Quand arrive l'heure du « baiser marchand de sable »,
papa dépose un baiser magique sur tes deux yeux.
Tes paupières sont lourdes… Tes yeux se ferment…

Et maintenant, chut !
Plus un bruit !
La journée est finie.
Bonne nuit, à demain matin !

Les boutons de Timoléon

Ce matin, au réveil, Timoléon le petit champignon découvre un gros bouton rouge au bout de son nez.

« Maman ! appelle-t-il. J'ai un bouton sur le nez !

– Ce n'est rien, lui répond sa maman depuis la salle de bains où elle termine de se coiffer. Sors de ton lit maintenant.

– Si maman n'est pas inquiète, cela ne doit pas être très grave », se dit Timoléon en sortant de son lit. Mais alors – aïe ! aïe ! aïe ! – il aperçoit un deuxième gros bouton rouge, là, au bout de son pied !

« Maman ! crie-t-il de nouveau. J'ai un bouton sur le pied !

– Ce n'est rien, lui répond sa maman depuis la cuisine où elle prépare le petit déjeuner. Habille-toi vite, c'est bientôt prêt.

– Si maman n'est toujours pas inquiète, cela ne doit pas être très grave », se dit Timoléon en retirant son pyjama.

Mais alors – au secours ! – il aperçoit un troisième, un quatrième,
un cinquième… plein de gros boutons rouges sur son ventre tout blanc !

« Maman ! pleurniche-t-il. J'ai des boutons partout ! »

Cette fois-ci, sa maman accourt de la cuisine.

« Des boutons partout ? » répète-t-elle.

C'est bien vrai ! Le petit champignon d'ordinaire tout blanc est recouvert
de gros boutons rouges. On dirait qu'il est à pois maintenant !

« Mon Timoléon, tu as la varicelle !

– La varicelle ? s'inquiète le petit champignon.

– Ce n'est rien, le rassure sa maman. Ce ne sont que des boutons.

D'ici quelques jours, ils auront disparu. Mais à deux conditions…

– Lesquelles ? demande Timoléon.

– Que tu ne grattes pas tes boutons ! »

Ouille ! Cela ne va pas être facile. Rien que d'y penser, Timoléon
sent que ça le gratouille partout.

« Et quoi d'autre ? interroge-t-il timidement.

– Comme tu es contagieux, tu pourrais transmettre ta maladie à tes amis.

Il faut donc que tu restes à la maison pour te faire dorloter ! »

« Finalement, c'est chouette la varicelle ! » pense Timoléon.

Mais quelques jours plus tard…

« Tu vas retourner à l'école maintenant, lui annonce sa maman.

– J'ai encore plein de boutons, proteste Timoléon.

– Ils ne sont plus contagieux. Ils vont bientôt disparaître.

– Tout le monde va se moquer de moi ! se plaint-il.

– Allons, ne fais pas d'histoires, le gronde doucement sa maman.

Presque tous les petits champignons attrapent un jour la varicelle

et on ne se moque pas d'eux. »

Déçu, Timoléon baisse la tête et court chercher une grande écharpe

pour que personne ne voie ses boutons.

Mais dans la cour de l'école, il aperçoit un petit champignon qu'il

n'avait jamais vu auparavant. Il est rouge avec des pois blancs !

« Quelle chance ! Un autre malade ! » pense Timoléon en s'approchant.

« Bonjour, dit-il. Tu as eu la varicelle, toi aussi ?

– La varicelle ?

– C'est une maladie qui donne plein de boutons.

– Mais je n'ai pas de boutons ! s'exclame le drôle de champignon.

Ce sont des pois. Chez nous, les amanites, nous avons tous des pois blancs.

– Et personne ne se moque de vous ?

– Pourquoi, tu ne trouves pas cela joli ?

– C'est vrai que ce n'est pas vilain », pense Timoléon
qui retire alors son écharpe.

C'est ainsi que l'on vit un petit champignon
blanc à pois rouges jouer avec un autre,
rouge à pois blancs !

Qui aurait cru que la varicelle
permettait de se faire
de nouveaux amis !

La guerre des boutons

1

Ça chatouille ? Ça gratouille ? C'est vrai, mais il faut résister et ne pas gratter tes boutons.

2

Habille-toi avec un tee-shirt trop grand. S'ils ne touchent pas le tissu, tes boutons ne te démangeront plus.

3

Lave-toi avec un savon doux et ne prends pas des bains trop longs. Sinon, ça va te picoter partout, partout !

90

4

Coupe-toi les ongles bien court, garde tes mains propres. Mais, le mieux, c'est de ne pas toucher tes boutons du tout.

5

Et si tu te maquillais ? Avec de l'éosine, demande à maman d'ajouter des points rouges. Te voilà transformé en Peau-Rouge !

6

Allez, courage ! D'ici quelques jours, c'est promis, tes boutons auront disparu !

Encore un tour !

« Non, non, non et non, je veux faire encore un tour ! »
Raoul est furieux. Le manège vient de s'arrêter et mamie lui demande
de descendre.

« Raoul, c'était le dernier tour, je te l'avais dit ! »
le gronde mamie gentiment.

Raoul s'agrippe au volant de sa voiture de police
préférée, celle qui a un gyrophare bleu
qui clignote : « Non, je veux faire
encore un tour, j'ai le droit d'abord ! »

Une petite fille attend. Mamie est ennuyée : « Raoul, ça suffit !

Maintenant, tu te détaches et tu laisses ta place !

– Non, la voiture de police, c'est que pour les garçons ! »

Raoul ne bouge pas d'un pouce. Il regarde mamie et la petite fille, plein de défi :

ses joues sont rouges et des larmes lui piquent les yeux.

Mamie monte sur le manège. Aussitôt, Raoul se détache tout seul et sort de la

voiture brusquement. Vite, il court se cacher derrière un arbre pour que la petite

fille ne le voie pas pleurer.

« Raoul, attends-moi, ça suffit ! » dit mamie

en descendant précipitamment.

Derrière son arbre, Raoul est en pleurs. Il donne

des coups de poing contre le tronc en disant :

« Méchante mamie, méchant manège ! »

Mamie n'est pas contente, mais pas contente du tout :

« Qu'est-ce que c'est que cette grosse colère ?

Ça ne te fait pas plaisir, de venir au manège avec moi ?

Respire profondément et calme-toi. »

Raoul ne veut pas parler à mamie. Il tourne la tête vers le manège et il le regarde fixement. La petite fille a l'air de bien s'amuser, dans SA voiture de police. Il y a aussi le petit avion sur lequel il est monté tout à l'heure. Tiens, on dirait qu'il fait un looping dans sa direction. Et la girafe au long cou hoche la tête en souriant et lui fait un clin d'œil en passant. Raoul est triste de ne plus faire du manège, mais il est rassuré de voir que ses amis ne l'oublient pas.

« C'est difficile de s'arrêter de faire du manège, hein ? » demande mamie.

« Oui, c'est très difficile ! » répond Raoul avec un dernier hoquet.

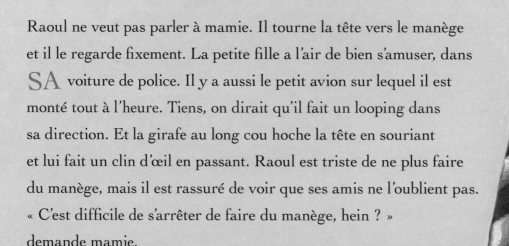

Sa colère est finie.

Diling
Diling !

Mamie sursaute : le marchand de glaces arrive en pédalant
et s'installe sous l'arbre de la colère de Raoul, à sa place habituelle.
« Et si on prenait un cornet à deux boules pour se consoler ?
dit mamie en faisant un clin d'œil à Raoul. Tu pourrais aussi
en proposer un à la petite fille… »
Devant le manège qui continue de tourner, mamie, Raoul,
et aussi la petite fille et son papa mangent des glaces
à la pistache, à la fraise et au chocolat :
« Le manège, aujourd'hui c'est fini,

mais une autre fois,

on y retournera ! »

Pour ne pas faire de colère après le dernier tour de manège

1 Le manège s'arrête : c'était le dernier tour et tu as envie d'en faire encore un. Tu sens la colère monter et tu as envie de pleurer. Va vite voir ta mamie, elle saura te consoler.

2 Tu tapes du pied, tu es furieux ? Demande à ta mamie de courir très vite avec toi tout en poussant des cris d'Indiens ! Ça défoule bien !

3 Tu penses que personne ne te comprend ? Mamie peut te raconter les tours de manège de son enfance. Peut-être qu'elle faisait aussi des colères ?

4 Invente une chanson avec ta mamie
(sur l'air de *Frère Jacques*) :
« Colère va-t'en, colère va-t'en. Je suis
grand, je suis grand. Le tour est fini,
le tour est fini. J'suis parti, j'suis parti. »

5 Après le manège, choisis une nouvelle
activité : foot, goûter, toboggan…
C'est bien aussi !

6 Quand ta colère est finie, pense
à dire « Merci » à ta mamie
pour le tour de manège.
C'est sûr, elle aura envie de
revenir une autre fois avec toi !

« Quand Maman était petite, comme moi ! »

Confortablement installée dans un large fauteuil, Petite Ourse regarde un vieil album photos, avec Granny. Granny montre avec son doigt : « Devine qui est cette petite ourse brune sur la luge ? C'est ta maman, quand elle était petite, comme toi ! »

Petite Ourse n'en croit pas ses yeux.
Une maman ourse haute comme trois
pommes, avec un bonnet à pompon…
C'est rigolo comme tout !
Tout excitée, Petite Ourse saute
sur ses pattes :

« Raconte, Granny…
quand Maman avait
mon âge ! »

Granny ferme les yeux, pour mieux se souvenir :
« Quand ta maman était petite, comme toi, elle aimait
beaucoup le miel.

– Comme moi ! s'écrie Petite Ourse.

– Quand ta maman était petite, elle aimait l'histoire de Boucle
d'Or ! continue Granny.

– Comme moi ! s'écrie Petite Ourse.

C'est incroyable ! »

Granny se penche vers Petite Ourse et lui murmure
en secret :
« Quand ta maman était petite, comme toi, elle suçait son
doigt, comme ça ! Elle faisait de drôles de bêtises. Une fois,
elle a mis de l'eau dans le grand chapeau de Paddy, pour faire
nager ses petits canards… Ce jour-là, Paddy a fait la grosse
voix. Mais ça, tu ne lui répéteras pas… »

Granny tire Petite Ourse par la main, l'entraîne au
fond du jardin et l'installe sur la balançoire :
« Quand ta maman avait ton âge, je la poussais sur
la balançoire. Haut, haut, jusqu'au ciel. Et ta maman
répétait les mêmes mots que toi :

Encore, encore ! »

Comme le soir tombe, Granny et Petite Ourse
rentrent à la maison. Granny conduit Petite Ourse au
grenier. En apercevant le tricycle rouge de Maman
Ourse, une pluie de souvenirs revient à la mémoire
de Granny…

Granny se met alors à raconter et Petite Ourse n'en perd pas une miette :

« Quand ta maman était petite, je lui essuyais ses moustaches de chocolat tous les matins, et elle n'aimait pas du tout ça ! Elle était très pressée de devenir grande. Mais moi, je lui serrais la main bien fort, pour traverser la rivière. Après, elle a grandi comme un tourbillon. Un matin de printemps, elle est partie à l'école toute seule, avec son cartable sur le dos. Très vite, elle est devenue une belle jeune fille. Un soir, elle est arrivée le cœur en fête. Elle chantait, elle dansait… J'ai tout de suite deviné… Elle venait de rencontrer un jeune ours charmant : ton papa ! L'été suivant, ton papa et ta maman se sont mariés. Et quelques mois plus tard, tu es arrivée ma Petite Ourse chérie. Paddy et moi, nous venions de gagner un grand ours à aimer et une petite ourse à câliner. »

Pour dessiner
son arbre généalogique

1 Ta famille ressemble à un arbre. Toi, tu es tout en bas,
bien au milieu. Quel est ton prénom ?
Apprends à l'écrire, comme un grand.

2 Sur la branche du dessus se trouvent ton papa
et ta maman. Quel est le prénom de ton papa ?
Quel est le prénom de ta maman ?

3 Sur la branche au-dessus de ton papa, il y a tes grands-parents.
Connais-tu le prénom de ton grand-père, le papa de ton papa ?
Connais-tu le prénom de ta grand-mère, la maman de ton papa ?

4 Sur la branche au-dessus de ta maman, il y a
tes autres grands-parents. Connais-tu le prénom de ton
grand-père, le papa de ta maman ? Connais-tu le prénom
de ta grand-mère, la maman de ta maman ?

5 Et à côté de toi, il y a de la place
pour tes frères et sœurs. C'est chouette !
Avec eux, tu grandis, chaque jour !

Balthazar et Piou

Balthazar aime Piou son doudou, plus que tout !

Il est si Piou, il est si chou !

Balthazar est grand maintenant, peut-être un peu trop grand pour promener son Piou partout, mais Balthazar ne voit pas la vie autrement. Que voulez-vous ! Au «Paradis des Petits Amis », Piou et Balthazar s'amusent comme des fous.

« Regardez, les copains, crie Balthazar, Piou sait faire des sauts périlleux ! » Un, deux, trois, Balthazar saute sur le trampoline et lance son poussin, qui fait des galipettes dans les airs.

« **Hourra !** **Hourra !** »

crient les amis : la girafe en bikini,

l'hippopotame avec sa bouée canard

et toute la colonie des lionceaux.

Quand un petit ami est triste, Balthazar lui prête gentiment

son doudou. Piou lui fait plein de bisous « Piou piou »

et zou ! son chagrin s'envole…

Au « Paradis des Petits Amis », tout le monde aime Piou.

Jusqu'au jour où Zadig, le petit singe, arrive pour jouer les trouble-

fêtes ! En voyant Balthazar avec son poussin, il s'écrie :

« Hou hou ! Tu n'es rien qu'un bébé éléphant !

Hou hou ! Tu as un doudou ridicule ! Hou hou ! »

Pauvre Balthazar !

Il est tout triste et met ses mains sur les oreilles de Piou,

pour que le poussin n'entende pas toutes ces méchancetés.

Mais Zadig n'a pas fini de l'embêter ! Il saisit Piou entre ses pattes

et escalade le grand palmier, pour cacher le doudou tout en haut,

sur la plus haute branche !

Quand le vilain singe redescend, il chantonne :

« Et voilà ! Plus de Piou !

Tu es trop grand pour avoir un doudou,

espèce de gros bébé ! »

Balthazar pleure à chaudes larmes.

Heureusement, tous ses amis sont là pour l'aider.

La gazelle grimpe sur le dos de la girafe.

Et un petit lion, tout en haut

de la courte échelle, s'écrie :

« Je l'ai ! »

Zadig continue de faire son intéressant. Il court partout en se moquant :
« Hou hou ! », quand soudain, « aïe **aïe** aïe ! » Zadig pose le pied
sur un gros cactus.

Au « Paradis des Petits Amis », tout le monde est d'accord pour l'aider,
même s'il vient d'être très méchant. Pendant que la girafe lui retire ses épines,
l'hippopotame et les petits lionceaux essaient de le consoler.

Mais Zadig est inconsolable ! Soudain, dans un sanglot, il marmonne :

« Je veux ma tétine, dans mon sac à dos ! »

Avec sa tétine dans la bouche, Zadig a vraiment l'air d'un gros bébé !

Mais ça, personne ne lui dira ! Après tout, on a tous nos petites habitudes de bébé !

Voilà tout !

107

Pour consoler
son doudou

1 Avec un joli mouchoir, sèche les larmes de ton doudou et berce-le doucement, pour le réconforter.

2 Ouvre grand tes oreilles, pour écouter les petits et les grands malheurs de ton doudou.

Dis à ton doudou des petits mots qui font toujours plaisir : « Moi, je trouve que tu es le plus formidable des doudous… Je t'aime ! »

Fais-lui un petit bisou dans le cou.

Et maintenant, zou ! C'est oublié ! Allez jouer !

Monsieur Noisette ne veut pas dormir

Monsieur Noisette, l'écureuil, habite le plus vieil arbre de la forêt.
À l'étage du dessous, c'est la maison de Monsieur Rossignol. Sur la branche
d'en face, Mademoiselle Pie a fait son nid. Et sous les racines vit toute une
famille de lapins : Monsieur, Madame et les trois bambins.

Pour la grande fête de la clairière, les habitants du vieil arbre ont décoré
une brouette avec des fleurs des champs.

Mademoiselle Pie donne les instructions pour la parade :

«Toi, Monsieur Rossignol, tu t'installeras dans la brouette avec
les petits lapins. Toi, Monsieur Noisette, tu les tireras avec Papa Lapin.
Et moi, je volerai au-dessus de vos têtes en criant : Hourra ! Hourra ! »

La veille du grand jour, Monsieur Noisette n'a pas envie d'aller se coucher.
Il décide de ranger sa collection de fruits des bois : glands, châtaignes,
noisettes et noix. Il les compte en chantant des airs d'opéra.

Quand soudain, « toc toc toc » ! On frappe à sa porte.

C'est Monsieur Rossignol en caleçon long, les plumes dressées sur la tête :

« Ça suffit, Monsieur Noisette ! Tu me casses les oreilles.

Je veux dormir, moi ! »

Mais Monsieur Noisette n'a pas sommeil.

« Je n'ai pas envie d'aller au lit, moi ! »

Et zou ! Il enfile ses baskets. En avant la gymnastique !

Il saute à cloche-pied, à pieds joints…

Quand soudain, « toc toc toc » ! On frappe à sa porte.

C'est Mademoiselle Pie dans sa longue chemise de nuit :

« Tu es fou, Monsieur Noisette ! Tu fais trembler tout le vieil arbre,

avec ton tintamarre ! »

Monsieur Noisette marmonne : « Je n'ai pas envie d'aller au lit, moi ! »

Et zou ! Il prend son accordéon et sort ses partitions.

Quand soudain, « toc toc toc » ! On frappe à sa porte.

Cette fois-ci, c'est Papa Lapin. « Tu as réveillé tous mes petits ! »

Monsieur Noisette est bien ennuyé d'avoir réveillé les petits lapins.
Il enfile son bonnet de nuit sur sa tête et va se coucher…

Le lendemain matin, les amis de la forêt arrivent dans leurs costumes du dimanche. La fête va bientôt commencer. Monsieur Noisette dort encore.
Monsieur Rossignol l'appelle :
« Saperlipopette ! Lève-toi, Monsieur Noisette ! »
Mais Monsieur Noisette se cache sous sa couette.
« Chut ! je dors. »

Toute la famille Lapin chante de bon cœur :
« Debout, Monsieur Noisette ! »
Mais Monsieur Noisette se bouche les oreilles : « Chut ! Je veux dormir ! »

Mademoiselle Pie entre par la fenêtre entrouverte, attrape un coin de sa couette dans son bec et s'envole…
Monsieur Noisette se lève encore tout endormi, son bonnet de nuit sur la tête.

« En piste, Monsieur Noisette ! Tire la brouette ! » crie Mademoiselle Pie.
Monsieur Noisette est si fatigué que ses jambes n'arrivent pas à le porter…
Il roule dans un fossé et dort toute la journée !
Pauvre Monsieur Noisette ! De la jolie fête, il n'a rien vu, rien entendu !

Monsieur Noisette, la nuit, il faut dormir !

Pour se calmer, avant d'aller se coucher

1 Vérifie que tu n'as rien oublié !
Es-tu passé aux toilettes ?
T'es-tu brossé les dents ?
As-tu bu un petit verre d'eau ?

2 Prépare ton petit nid douillet. Avec papa,
ouvrez la couette, tapotez l'oreiller…
Maintenant, allonge-toi bien… Mmm…
C'est doux, un petit lit bien chaud !

3 Raconte à papa
tout ce que tu as aimé aujourd'hui…

Papa aussi peut te raconter des secrets.
C'est l'heure des mots les plus doux…

4

5

Ferme un œil, puis deux !

6

Et maintenant, chut ! Plus un bruit !
La journée est finie.
Bonne nuit, à demain matin !

Le premier matin d'école

« Grégoire ! Il faut te réveiller ! »

La voix de maman est douce comme un câlin. Derrière ses yeux fermés, Grégoire n'arrive pas à sortir de son sommeil.

« Grégoire, Grégoire ! Mon grand ! Il faut te lever pour ton premier jour d'école ! »

Tilt ! Les yeux de Grégoire s'ouvrent d'un coup.

Hop ! Il bondit hors de son lit. Il a suffi d'un mot magique pour le réveiller tout à fait. L'école, quelle aventure !

Grégoire se lave le bout du nez et commence à s'habiller.

Heureusement que maman est là :

« Attention, roi Dagobert, tu mets ta culotte à l'envers !

Regarde, l'étiquette de ton pull est du mauvais côté ! »

D'ordinaire, Grégoire se débrouille très bien tout seul.

Mais aujourd'hui n'est pas un jour comme les autres,

et Grégoire bouillonne d'impatience.

Oh ! Un peu plus, et il allait mettre une chaussette verte avec une rouge !

Maman se met à rire : « Si ça continue, ta maîtresse va te faire remarquer que tu n'es pas à l'école des clowns ! »

Grégoire éclate de rire à son tour, tout excité.

À cet instant, il entend la porte claquer.

« Papa est parti au travail ? 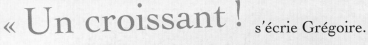 Sans m'embrasser ?

– Mais non, il revient ! Il est allé à la boulangerie. »

Mmm! Ça sent la surprise ! Grégoire court à la cuisine, où les bras de papa l'attrapent au vol. Grégoire décolle du sol et reçoit un bisou très haut dans les airs : « Alors, bonhomme, prêt pour l'école ? Tu vas bientôt devenir aussi grand que moi ! Enfin, il faudra quand même beaucoup de jours d'école pour ça ! »

Grégoire éclate de rire à nouveau. Papa l'assoit devant un bol de chocolat et…

« Un croissant ! s'écrie Grégoire.

Mais les croissants, c'est pour faire la fête !

– Et ce n'est pas la fête d'entrer à l'école ? demandent ensemble papa et maman.

– Si », dit Grégoire en souriant de toutes ses dents qu'il plante aussitôt dans le croissant.

Un peu plus tard, le grand moment est arrivé. Direction l'école !

À l'entrée, les maîtresses sont là pour accueillir les enfants. Certains rient, d'autres ouvrent de grands yeux, d'autres crient à qui mieux mieux.

« Pourquoi ils pleurent ? demande Grégoire à sa maman.

   – Ils sont timides. Ils ont un peu peur de l'école parce qu'ils ne la connaissent pas encore. Tu as peur, toi ?

   – Non !

   – Tu as raison. Bientôt, eux non plus n'auront plus peur. Il faut seulement qu'ils s'habituent.

   – Bonjour, Grégoire ! dit la maîtresse. Bienvenue à l'école. Ta maman va t'accompagner jusque dans la classe. »

Mmmm ! Dans les couloirs, ça sent une bonne odeur. Une odeur toute nouvelle. L'odeur de l'école !

« Bonjour, Grégoire ! dit une dame souriante qui se tient à l'entrée
de la classe. Je suis la dame qui aide la maîtresse à s'occuper de vous.
Tu as l'air content de venir à l'école ! Bravo. Tu peux enlever
tes chaussures et enfiler tes chaussons. »

Scratch, scratch ! Grégoire range ses chaussures dans
un petit casier. Il accroche ensuite son gilet à un portemanteau qui est juste
à la bonne taille.

Cette fois, il est prêt ! Ah non, pas tout à fait. Il lui reste une chose importante
à faire avant d'entrer dans la classe pour découvrir son nouveau monde :

« Bisou, maman ! »

Pour être en pleine forme
le premier matin d'école

1 Au saut du lit, frotte-toi le visage avec un gant de toilette tiède pour te sentir propre et réveillé. Maintenant, prends le temps de bien t'habiller avec l'aide de maman. Le grand jour est enfin arrivé !

2

Prends un bon petit déjeuner : du pain, du lait et un fruit pour faire le plein d'énergie !

3

Passe aux toilettes avant de partir, pour ne pas avoir besoin d'y aller dès ton arrivée en classe.

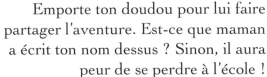

Emporte ton doudou pour lui faire partager l'aventure. Est-ce que maman a écrit ton nom dessus ? Sinon, il aura peur de se perdre à l'école !

Sur le chemin, demande à maman et à papa de te raconter leur premier jour d'école. Le temps passera plus vite.

À l'arrivée, dis bonjour à ta maîtresse et découvre ta classe avec tes parents. Ensuite : « Bisou, papa, bisou, maman, à tout à l'heure : j'aurai plein de choses à vous raconter à la fin de la journée ! »

Le secret de Toinou et papa

Ce matin, papa emmène Toinou à l'école. Papa est fier de son fiston : Toinou est un grand garçon !

« Bonjour, Toinou, dit la maîtresse. Tu mets ta petite pomme dans l'arbre ? »

Toinou accroche sa pomme avec son prénom, le plus haut possible sur l'arbre dessiné au mur, avec l'aide de son papa.

C'est l'heure de partir au travail, papa se dirige vers la sortie :

« Bonne journée, mon garçon. À ce soir ! »

Toinou est triste, il n'a pas tellement envie de rester à l'école sans son papa.

« Tu n'as pas rangé mon doudou, papa ! » dit-il en le tirant par la main vers le panier des doudous.

« Voilà, ton doudou a retrouvé ses copains, je file ! » dit papa en faisant un baiser à Toinou.

Toinou sent son cœur qui bat dans sa poitrine. Il tient fort la main de papa.

« Papa, tu n'as pas regardé mon escargot ! » dit Toinou en montrant un dessin affiché au mur.

« C'est vrai, il est très beau, mais je dois partir, c'est l'heure ! » explique papa un peu pressé. Toinou sent les larmes lui monter aux yeux : c'est sûr, son papa va le quitter maintenant ! Il voudrait qu'il reste encore un instant !

« J'ai envie de faire pipi. Viens, papa ! » dit Toinou en faisant mine de sortir de la classe.

La maîtresse n'est pas d'accord : « Toinou, laisse ton papa s'en aller, nous irons aux toilettes tout à l'heure ! »

Toinou devient tout rouge, la maîtresse n'a rien compris, il veut son papa avec lui !

« Moi, je veux rester à l'école avec mon papa ! » dit-il en tapant du pied et en criant très fort.

Il se met en travers de la porte pour que personne ne puisse sortir de la classe. Tout le monde le regarde. La maîtresse fait des yeux tout ronds.

Papa s'avance. Toinou se blottit au creux
de ses bras, contre sa barbe qui pique
et son pull-over qui sent bon.
Les larmes coulent le long de ses joues.

Toinou est très triste !

« Viens, Toinou, dit papa, on va s'installer
dans ce coin-là. »
C'est la table à dessin. Papa prend le feutre
bleu et il dessine un petit bonhomme. Puis il prend le feutre vert et il dessine
un grand bonhomme qui tient la main du petit.
« Tu vois, explique-t-il, le bonhomme bleu, c'est toi et le vert, c'est moi.
On se donne la main, on est ensemble tous les deux. Je plie le papier,
je le mets dans ta poche, c'est notre secret. »
Toinou sèche ses larmes. C'est bien d'avoir un secret avec son papa.
Ça lui donne du courage. Il l'accompagne jusqu'à la porte de la classe :

« Au revoir, papa, à ce soir ! »

DÉPART CIRCUIT

Papa s'en va. Toinou touche le papier dans sa poche.

« Tu viens jouer au garage avec moi ? » demande Manon.

Toinou veut bien, mais il garde une main dans sa poche, près du dessin.

« La voiture rouge, c'est la voiture de mon papa », déclare Toinou.

« Ma maman, elle a une voiture rose », explique Manon.

Toinou est content,

Manon sait bien jouer aux petites voitures. Il sort la main de sa poche.

Le secret reste contre lui… Maintenant, il peut jouer avec ses deux mains,

toute la journée !

Pour ne pas être triste le matin à l'école

1

Le matin, à l'école,
tu es triste quand papa s'en va ?
Prends ton doudou avec toi,
il est là pour ça !

2

Tu as un gros chagrin ?
Papa te fait un dernier gros câlin.

3

Ça ne suffit pas ? Papa fait plein de
baisers à ton doudou. Quand il sera parti,
si tu approches ta joue de ton doudou,
tu recevras… un baiser de papa !

4 Suis papa du regard jusqu'à la sortie et dis-lui : « Au revoir, à ce soir ! »

5 Maintenant, prononce cette formule magique : « Papa-parti, Papa-pense-à-moi, Papa-reviendra… »

6 Tu te sens un peu mieux ? Pose ton doudou dans le panier et part jouer. Ton chagrin sera vite oublié.

Caramel fait des bêtises

Pour son anniversaire, Jules vient de recevoir une jolie petite abeille en peluche. « Regarde, Caramel, dit Jules à son doudou. Elle est belle et elle sent bon le miel. On va bien jouer tous les trois. »

Mais Caramel fait un peu la tête. Il n'a pas envie de regarder la petite abeille, ni de sentir la bonne odeur de miel.

« C'est bizarre, pour un ours, dit Jules. Tu boudes ?

– Pas du tout ! » Caramel bondit sur ses pattes et zou !

Il saute sur le canapé. Jules aussi, pour le rattraper !

Maman n'est pas contente, elle gronde Jules :

« C'est une bêtise de sauter sur le canapé. »

Mais Jules proteste : « C'est Caramel qui a commencé ! »

Quel coquin, ce Caramel ! Il court se cacher dans la chambre

de Jules et renverse par terre les chevaliers,

les petites voitures, les livres, les déguisements.

Quel désordre !

« Tu exagères, Caramel ! » s'exclame Jules.

Quand Maman pousse la porte, elle est en colère :

« Jules, c'est une grosse bêtise !

– Mais ce n'est pas moi, réplique Jules. C'est… »

Maman continue :

« Maintenant, tu vas tout ranger. Au travail !

– Aide-moi, méchant ours ! » dit Jules à son doudou.

Mais Caramel n'écoute pas, il court dans la salle de bains et il fait couler de l'eau dans la baignoire, juste comme ça ! Il se maquille en Indien, avec le rouge à lèvres de maman.

Cette fois-ci, Jules s'installe sur le canapé, avec son doudou sur les genoux. Il lui dit : « Que se passe-t-il, Caramel ? Tu fais n'importe quoi ! »

Caramel se gratte la tête avec sa patte et avoue :

« Depuis que la petite abeille est là, tu ne m'aimes plus, voilà ! »

Jules serre Caramel dans ses bras et murmure :

« J'aime la petite abeille, mais je t'aime, toi aussi.

Je t'aime depuis toujours. Tu dormais dans mon berceau, quand j'étais bébé. Tu étais caché dans mon sac à dos, le jour où j'ai été à l'école pour la première fois.

Tu m'as consolé quand je suis tombé de vélo.

Tu es mon Caramel, mon doudou à moi. »

130

Caramel est déjà un peu rassuré. Il baisse les yeux et dit :

« J'ai fait toutes ces bêtises car j'étais un peu jaloux de la petite abeille ! »

Maman a tout entendu.

Elle fait un petit clin d'œil à Jules et appelle :

« Au dodo ! Maintenant que vous avez fait la paix tous les deux, j'espère que vous allez être sages ! »

Caramel est encore inquiet. Il dit à Jules :

« Il reste un peu de place sur l'oreiller, pour la petite abeille. Mais vraiment une toute petite place, car il faut une grosse place pour moi : je suis un très gros ours ! »

Jules sourit :

« Toi, tu auras toujours la plus belle place dans mon cœur, car tu es mon doudou préféré. »

131

Pour faire un gros câlin à son doudou

Berce lentement ton doudou
sur tes genoux.

Murmure des petits mots doux
à son oreille, comme une caresse.

Fermez vos yeux tous les deux.
Chut ! Plus un mot, plus un bruit,
le temps d'un câlin avec doudou…

Quand c'est terminé,
on se sent plein de force pour croquer la vie !

Lance doudou en l'air en criant :
« Youpi ! » Un câlin, c'est un cadeau
qui donne plein d'énergie!

La cabane de Papi Jules

Comme son papa et sa maman travaillent, Tristan passe ses vacances chez Mamie Rose et Papi Jules.

Il aime la grosse voix et les moustaches hérisson de Papi Jules.

Il aime les tartes aux pommes de Mamie Rose, qui sentent bon l'automne.

Mais ce que Tristan aime par-dessus tout, c'est la cabane de Papi Jules.

Un paradis enchanté, au fond du jardin, où Papi Jules répare les chaises cassées, les nounours fatigués, les tasses ébréchées, les petites voitures cabossées et même les roues de vélo crevées !

Maintenant qu'il est grand, Tristan aide Papi Jules dans sa cabane. Il cherche le marteau, et Papi Jules plante des clous. Il passe la perceuse, et Papi Jules fait les trous. Et quand le travail est terminé, Papi Jules et Tristan courent dans la forêt, pour ramasser des champignons !

Les vacances passent vite chez Mamie Rose et Papi Jules. Et pourtant, un matin, Tristan sent soudain une cascade de larmes monter dans ses yeux. Sans prévenir, une pluie de larmes dégringole dans son bol de petit-déjeuner. Entre deux sanglots, Tristan chuchote :

« Je veux voir Papa et Maman, tout de suite ! »

135

Mamie Rose serre son petit-fils dans ses bras. Elle le câline tendrement.

Papi Jules est bien ennuyé. Il n'aime pas voir Tristan pleurer.

Il lisse sa moustache hérisson et lance :

« Allez, viens dans ma cabane, on va réparer tout ça ! »

Dans sa cabane, Papi Jules assied Tristan sur son établi. Il prend de la colle
et un pinceau mais « non ! » On ne répare pas le cœur d'un p'tit bonhomme avec
de la colle !

Il prend un grand bout de ficelle, mais « non ! » On ne console personne avec
de la ficelle !

Papi Jules regarde ses outils, bien ennuyé, puis soudain, il lui vient une idée.

Il tend à Tristan des feutres, une feuille blanche et dit :

« Toi, tu dessines ton chagrin… Et moi, je prépare une
boîte magique, qui fait disparaître les chagrins ! »

Quand Tristan a fini son dessin, Papi Jules a terminé sa boîte. Tristan glisse son dessin dans la boîte de son grand-père.

« Et maintenant, à la pêche ! » dit Papi Jules.

Sur le chemin de la rivière, Tristan serre la boîte aux chagrins, contre son cœur. En arrivant sur le petit pont de bois, Tristan a déjà le cœur léger. Il ouvre la boîte aux chagrins et laisse tomber son dessin dans le tourbillon des flots. Il dit à Papi Jules :

« La boîte, je la garde, si un jour je suis encore triste ! Mais mon chagrin d'aujourd'hui, il est parti !

Merci mon Papi chéri ! »

137

Pour dire merci
à son grand-père

1 Pour remercier ton grand-père des merveilleuses vacances passées avec lui, tu peux lui envoyer un avion en papier plein de « merci », par la fenêtre de ta chambre…

2 Si l'avion se perd dans une tempête, fabrique un bateau en papier, plein de mots doux. Lance-le sur les flots de la rivière la plus proche de chez toi…

Ton grand-père n'a rien reçu ?
Alors, écris-lui une longue lettre…
Dicte à ta maman tes plus beaux souvenirs
avec ton grand-père.

Dans l'enveloppe, glisse trois petits cœurs
et un beau dessin.

Et zou ! Avec ton papa ou ta maman,
cours poster ta lettre.
Un gentil facteur fera le reste !

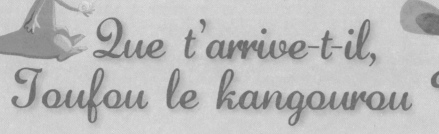

Que t'arrive-t-il, Toufou le kangourou ?

Un matin, Toufou le kangourou se réveilla tout mou.
Malgré le soleil, il se sentait frissonner de froid. En allant
se promener, il éprouva une sensation étrange : ses pattes
infatigables lui semblaient prises dans **des sabots de plomb !**
Le kangourou avançait péniblement sur la piste lorsqu'un escargot
caché sous une feuille sortit la tête de sa coquille.

« Qu'as-tu donc, Toufou ? Aujourd'hui, tu as mis une heure
à me rattraper. »

Toufou répondit d'une voix faible : « Bonjour, Léo l'escargot !
Tu sais, je ne me sens pas très en forme… »

Léo déroula ses antennes d'un air perspicace :

« **Tu es peut-être malade ?** Laisse-moi prendre ta température. »

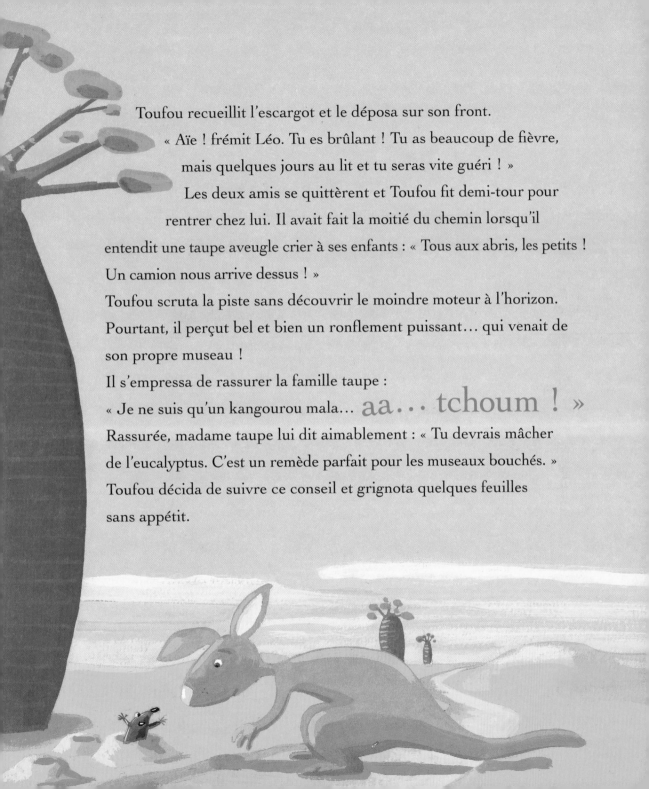

Toufou recueillit l'escargot et le déposa sur son front.

« Aïe ! frémit Léo. Tu es brûlant ! Tu as beaucoup de fièvre, mais quelques jours au lit et tu seras vite guéri ! »

Les deux amis se quittèrent et Toufou fit demi-tour pour rentrer chez lui. Il avait fait la moitié du chemin lorsqu'il entendit une taupe aveugle crier à ses enfants : « Tous aux abris, les petits ! Un camion nous arrive dessus ! »

Toufou scruta la piste sans découvrir le moindre moteur à l'horizon. Pourtant, il perçut bel et bien un ronflement puissant… qui venait de son propre museau !

Il s'empressa de rassurer la famille taupe :

« Je ne suis qu'un kangourou mala… aa… tchoum ! »

Rassurée, madame taupe lui dit aimablement : « Tu devrais mâcher de l'eucalyptus. C'est un remède parfait pour les museaux bouchés. »

Toufou décida de suivre ce conseil et grignota quelques feuilles sans appétit.

Mais en avalant sa bouchée, il grimaça de douleur. Dans sa gorge, soudain, quelque chose râpait cruellement… Toufou se traîna jusqu'à la cabane où habitait sa famille. Il s'effondra aux pieds de sa maman en balbutiant :

« J'ai dû avaler un hérisson sans faire attention. Ses piquants me transpercent la gorge. J'ai mal ! »

Maman kangourou examina son petit Toufou tout pâle et tout mou.

Elle lui répondit doucement : « Je crois plutôt que tu es bien malade. »

Elle alla fouiller dans l'armoire à pharmacie et fit avaler à Toufou une grande cuillerée de sirop aux orties. « C'est dégoûtant ! »

Maman sourit : « Les médicaments plaisent rarement aux gourmands mais, tu sais, ils plaisent encore moins aux microbes. Ce sirop va les chasser très vite ! Dans quelques jours, tu auras retrouvé ton énergie. En attendant, au lit ! Viens dans ma poche. »

Toufou s'enfouit avec délices dans la fourrure tiède de sa maman.

La fièvre bourdonnait comme une mouche dans sa tête, mais il s'endormit profondément sans plus penser à ses malheurs.

Un petit kangourou choyé est déjà à moitié soigné : la maladie, vexée d'être oubliée, décida vite de s'en aller !

Pour être courageux et guérir vite !

1 Ce matin, ton doudou s'est réveillé malade, comme toi ! Voici comment le soigner pour qu'il guérisse… en même temps que toi. Pour commencer, fais-lui un gros câlin.

2 Fais-lui boire beaucoup d'eau (pour de faux)… et toi aussi, avale de grands verres (pour de vrai !).

3 S'il a beaucoup de fièvre, enlève-lui son pull, et ne pose pas ton doudou sur le radiateur… Toi non plus, ne reste pas dans un endroit trop chaud !

4

Donne-lui une cuillère de sirop.
S'il fait la grimace, explique-lui que
ce médicament va le guérir ! Montre-
lui l'exemple : avale avec le sourire
celui que maman te donnera !

5

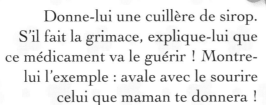

S'il n'a pas d'appétit, ne le force pas à manger sa soupe.
Quand on est malade, on n'a pas très faim : l'appétit
reviendra quand vous serez guéris.

6

Installe-le bien confortablement
dans ton lit et couche-toi à côté
de lui… Tous les deux, dormez
un peu et vous vous sentirez
beaucoup mieux !

Monsieur Doudou
reste à la maison

Ce matin, toute la famille se prépare pour le mariage de Tante Marianne.

Maman a mis du rouge à lèvres qui brille. On dirait une princesse !

Papa a sorti son beau costume gris. Jules, lui, est habillé comme un grand, avec une belle chemise blanche. Et il a du gel dans les cheveux !

Ce sont les cousins qui vont être épatés ! Papa finit de mettre les bagages dans le coffre.

« Vous êtes prêts ? En voiture ! »

Papa est en train d'attacher la ceinture de Jules quand soudain :

« Attends papa, j'ai oublié quelque chose de très important ! »

Jules court dans la maison
et revient tout excité avec son doudou.

«J'ai failli oublier

Monsieur Doudou,

il aurait été triste de ne pas faire la fête

avec nous ! »

Mais papa n'a pas l'air de cet avis !

« Tu sais, Jules, ce n'est pas une bonne idée de l'emmener. On va le laisser à la maison.

– Mais papa, on ne peut pas laisser Monsieur Doudou tout seul à la maison !

Et si des voleurs viennent et le prennent ?

– Je fermerai bien la maison, mon grand. Et puis, s'il y a des voleurs, comme c'est

un doudou très malin, il ira se cacher sous ton oreiller ! Allez, va vite le reposer. »

– Mais papa…

– Jules, repose-le », dit papa avec sa voix qui ne plaisante pas.

Jules obéit et retourne à la maison en traînant les pieds. Mais il revient

deux minutes plus tard, **son doudou dans** les bras !

147

« Papa !
Ce méchant doudou est une vraie tête de mule !

Il dit que si on le laisse tout seul, il fera plein de bêtises : cacher les chaussettes, mettre la musique très fort et aussi arracher les pages des livres ! »

Papa prend Monsieur Doudou dans ses bras et le regarde, droit dans les yeux.

« Monsieur Doudou, il faut vraiment, vraiment que tu sois raisonnable ! Ce n'est pas pour t'embêter qu'on ne veut pas t'emmener : c'est parce qu'on a très peur de te perdre. Mais, promis, Jules te racontera tout à son retour. »

Monsieur Doudou retourne dans les bras de Jules. Tous les deux, ils se parlent un petit moment à l'oreille.

« Papa, Monsieur Doudou veut quand même venir avec nous, mais il promet de toujours toujours rester avec moi. »

Papa rit :

« Tu vas avoir du mal à tenir ta promesse, petit doudou ! Au mariage, il va y avoir beaucoup de gens, et on va aller dans plein d'endroits différents.

Et puis, tu es un très joli doudou,
que se passerait-il si un autre
petit garçon t'emmenait avec lui ?
Tu ne verrais plus jamais Jules
et vous seriez très, très malheureux
tous les deux ! »
Jules et Monsieur Doudou
se regardent et se serrent très fort
l'un contre l'autre. Jules murmure
tout bas :

« Monsieur Doudou,
        je t'aime trop,

je ne veux pas te perdre. Alors,
d'accord, aujourd'hui, tu restes ici ? »
Monsieur Doudou chuchote encore quelque
chose à l'oreille de Jules. Jules rit et dit :
« D'accord Monsieur Coquin Doudou, si tu restes bien sagement à la maison,
je te rapporte des dragées…

et un gros gros bisou de la mariée ! »

Pour laisser son doudou à la maison

1 Explique à ton doudou où tu vas et pourquoi tu ne peux pas l'emmener. Dis-lui bien que tu vas revenir pour qu'il ne se fasse pas de souci.

2 Prépare-lui un petit lit douillet près d'une fenêtre.

Invite quelques-uns de ses amis pour qu'il ne s'ennuie pas pendant ton absence : des peluches, des poupées…

Donne-lui un gros baiser sur le nez, sur le ventre, partout où tu en as envie.

Quand tu es bien installé dans la voiture, fais-lui un petit coucou par la vitre. Et maintenant, en route… À tout à l'heure, petit doudou !

J'ai pas sommeil !

« **L**es nageoires, pipi et au lit ! »

Colin le petit poisson n'écoute pas sa maman. Il est trop occupé à faire rouler

ses oursins sur le super-circuit qu'il a installé avec ses cousins.

« Il est très tard, Colin ! Les cousins sont partis, maintenant il faut se coucher ! »

insiste Madame Plancton.

« Je veux pas dormir ! » répond Colin, les écailles frémissantes.

Il tourne sur lui-même en faisant de grosses bulles et refuse de mettre

son pyjama à rayures.

Madame Plancton se fâche et fait vibrer ses branchies

un peu plus fort : « Dépêche-toi, Colin ! Je ne le répéterai pas ! »

Le petit poisson est vraiment très énervé. Il devient orange, puis rouge !

« Colin…

Dernier avertissement ! »

D'un grand jet de bulles, Colin envoie au fond des coraux tous ses beaux

oursins ! Il se met à gonfler comme un gros ballon :

« Je veux pas dormir, j'ai pas sommeil !

– Chut ! File dans ton anémone, s'il te plaît ! » répond maman

d'une voix ferme. Mais Colin n'est toujours pas calmé.

Voilà qu'il commence à clignoter, comme la lumière d'un phare !

« Colin, tu es en train de faire une grosse colère ! »

Maman fait ses gros yeux qui font peur. Colin se décide enfin à mettre

son pyjama et à se laver les nageoires.

« Maman a tout gâché ! Moi qui jouais si bien avec mes oursins !

Elle est méchante », pense-t-il.

En sortant du lagon de toilette, il se jette sur son anémone et tape de toutes

ses forces avec sa queue contre le rebord de son lit.

« Je ne veux plus rien entendre !

Maintenant tu fais dodo ! » dit sa maman en fermant

le rideau d'étoiles de mer. Colin a complètement dégonflé.

Il pleure à présent. Les larmes coulent, coulent très fort.

Tout à coup, il fait noir. Oh ! là, là !

Une pieuvre géante jaillit devant lui avec d'immenses tentacules !

« Au secours ! Au secours ! » crie Colin.

Madame Plancton se précipite :

« Tu as fait un cauchemar, mon p'tit têtard ! »

Colin se réfugie dans les nageoires de sa maman.

« Une pieuvre affreuse voulait me manger ! J'ai eu si peur !

– Calme-toi ! Tu vois que ce n'est pas bien de s'endormir tout énervé !

Tu es un tout petit poisson qui a besoin de sommeil.

Le soir, quand c'est l'heure de dormir, il faut se coucher sans discuter. »

Madame Plancton caresse les écailles de Colin et allume sa veilleuse-méduse.

« Tu veux bien me raconter une histoire, ma petite maman chérie ?

– Bon, d'accord. Connais-tu celle du marchand de sable ?

Il était une fois, au royaume de Neptune… »

Madame Plancton sourit. Colin, les yeux fermés, s'est déjà endormi…

« Bonne nuit, mon trésor des mers !

À demain ! »

Pour se coucher sans faire de colère

1

Maman allume une petite lumière
et ferme doucement la porte de ta chambre,
pour que tu sois au calme.

2

Allonge-toi sur ton lit, la tête
sur l'oreiller et les bras le long du corps.

3

Inspire de l'air en creusant le ventre
et souffle ensuite le plus longtemps possible.
Recommence deux ou trois fois. Tu es en train
de chasser la colère !

4

Tu te sens toujours énervé ?
Pense à une chanson douce que
tu aimes bien et fredonne-la tout bas.

5

Ouvre la porte de ta chambre
et dis à maman que tu voudrais lui
faire un gros baiser avant de dormir.
Mmmm, ça fait du bien un gros câlin !

6

Et si tu disais à maman tout ce que
tu aimerais faire demain ? Super,
maintenant il faut dormir pour que
cela arrive le plus vite possible !

Les trésors de la récré

Bien emmitouflé, son écharpe autour du cou, Hugo cherche une occupation dans la cour de récréation. Le bac à sable ? Il y a trop de monde. Les vélos ? Ils sont tous pris. Le toboggan ? Il est mouillé et on n'a pas le droit d'y aller… Quelque chose attire le regard du petit garçon : « Oh, un marron ! » Hugo le ramasse et le frotte contre son manteau : le marron brille, il est vraiment très beau, et il y en a beaucoup d'autres sous le marronnier.

Hugo décide de tous les ramasser : un, deux, trois…

« Tut ! Tut ! klaxonne un vélo. Je suis Quentin. Tu veux monter avec moi ? – D'accord, on va jouer au camion-ramasseur de marrons ! » se réjouit Hugo en s'asseyant à l'arrière. Et voici les deux compères partis tout autour de la cour, récolter les marrons qui se trouvent sur leur chemin. Bientôt, leurs poches sont pleines à craquer.

« Oh, une feuille ! » Quentin descend de vélo et contemple sa trouvaille. C'est une feuille d'érable : elle est vraiment magnifique, avec du jaune, de l'orange et du rouge mélangés.

« Et si on faisait des bouquets ? »

Les deux garçons commencent une nouvelle récolte : une, deux, trois…

« Boum ! » les bouscule une petite fille qui court avec ses amies.

« Je suis Amélie, et voici Chloé et Lilou. On peut jouer avec vous ? »

Hugo et Quentin hochent la tête. À cinq, la récolte sera encore plus belle !

Les enfants partent à la recherche des feuilles cachées dans la cour. Ils en trouvent derrière la haie, sous le toboggan, sur le toit de la cabane… Bientôt, ils ont les mains tellement pleines qu'ils ne peuvent plus rien ramasser.

« Oh, un caillou gris ! » Amélie s'arrête net dans sa cueillette et se retourne pour montrer son trésor à ses compagnons de jeu.

« Qu'il est beau ! Si on en ramasse plein, on pourra faire un chemin jusqu'à la classe !

— Et les feuilles, ça fera comme des coussins, pour attendre la maîtresse.

— Les marrons, on dira que c'est notre goûter. »

Les enfants font des petits tas de feuilles le long du mur de la classe et disposent les cailloux en une longue route. Un, deux, trois…

« Ouin !!! » Un petit garçon pleure dans un coin.

Hugo l'observe, il est encore plus petit que lui, avec son doudou qui traîne jusqu'au bout des pieds.

« Regarde, dit Hugo, on ramasse des trésors. Comment tu t'appelles ?

— Arthur. »

Hugo prend Arthur par la main et celui-ci arrête de pleurer. Ensemble, ils cherchent les plus beaux cailloux de la récré. Il y en a des gris près du tas de sable, des blancs autour des platanes, des mouchetés autour de la grille…

« Celui-là, il est vraiment joli, déclare Hugo en ramassant un caillou rose. Tu peux le garder si tu veux. »

« Dring ! » La récré est finie.

Le chemin de cailloux, les petits tas de feuilles, les goûters, tout est prêt.

« Par ici, les amis, venez vous asseoir sur votre coussin », déclare Quentin.

Hugo distribue les marrons avec l'aide d'Arthur : « Qui veut un délicieux goûter ? »

Quand la maîtresse arrive pour ouvrir la porte, Hugo fait un clin d'œil,

et tous les enfants se lèvent en jetant leurs feuilles en l'air :

« Hourra, Hourra !

Vive les trésors de la récré ! Et vive les amis qui ont tout préparé ! »

Pour s'amuser
dans la cour de récré

1

Enfile ton manteau quand il fait froid
et n'oublie pas ton chapeau quand il fait très chaud :
pour jouer dehors, il faut bien s'habiller.

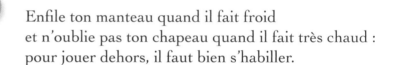

2

Choisis une activité qui te plaît :
vélo, toboggan, cabane…
Il y en a sûrement une pour toi.

3

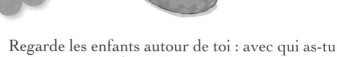

Regarde les enfants autour de toi : avec qui as-tu
envie de jouer ? À toi de te faire des copains !

Si tu souhaites te reposer, trouve un coin tranquille
pour jouer tout seul ou avec ton meilleur copain.

La maîtresse est là pendant la récré.
Tu peux aller la voir si tu te fais mal
ou si on t'embête.

Raconte tes blagues, cours, joue
et saute ! La récré, c'est fait pour
se dépenser et s'amuser !

Le terrifiant repaire du docteur

Thomas est un petit garçon courageux qui répète souvent à ses amis :
« Les sorcières et les fantômes, ça n'existe pas et je n'ai même pas peur des
loups ! » Pourtant, ce matin, en s'installant dans la salle d'attente du médecin,
il est obligé de rassembler tout son courage pour ne pas se mettre à trembler.
Derrière la porte fermée du cabinet retentissent les cris d'un bébé.
Et si le docteur était plus redoutable qu'un ogre ?

Soudain, la porte s'ouvre. Le bébé sort du cabinet en reniflant dans les bras
de son papa. C'est au tour de Thomas d'entrer dans le repaire du docteur,
mais ses jambes tremblent et il frissonne.

« Eh bien, Thomas ? demande le médecin. Tu es aussi blanc qu'un cachet
d'aspirine. Serais-tu malade ? »

La maman de Thomas intervient : « Non, docteur. Nous venons pour
une visite de routine.

– Je vois, dit le médecin. Mais votre fils semble avoir perdu sa langue.
Il faut à tout prix la retrouver ! »

Le docteur a pris en main une lamelle de bois et une fine lampe de poche :
« Ouvre grande la bouche ! » Thomas obéit. Il sent la lamelle
de bois écraser sa langue avec un goût de sapin sec, tandis que la lampe
explore sa gorge comme une caverne…

« J'ai deux excellentes nouvelles à t'annoncer, dit le docteur. Ta langue n'a
pas disparu et ta gorge est éclatante de santé. Je pars maintenant
en reconnaissance au fond de tes oreilles. »

La lampe regarde dans l'oreille gauche, puis dans l'oreille droite, comme
pour chercher des secrets qui y seraient tombés…

Le médecin a pris la mine concentrée d'un découvreur de grottes :

« Tes oreilles fonctionnent aussi bien que celles d'un grand chef indien.

Maintenant, enlève ton tee-shirt : il faut que
j'écoute ton cœur avec mon stéthoscope. »
Thomas se méfie des mots difficiles :
on ne sait pas quels pièges ils cachent !
Il fixe donc d'un regard inquiet l'instrument
que le médecin vient d'accrocher à ses oreilles.
Le bout du stéthoscope, rond comme
une médaille de champion, se pose
sur la poitrine de Thomas.

Brrr, c'est froid !

Le petit garçon frémit sous la caresse glaciale…

Le médecin prend un air affolé : « Ce cœur bat la chamade. On dirait un régiment
de tambours de guerre ! »

Puis il se met à rire : « Je connais un petit garçon qui a eu follement peur
d'entrer chez le médecin. Euh, pardon : je devrais dire un "grand" garçon !
Il ne me reste qu'à te mesurer et à te peser pour vérifier que tu es presque
un homme ! »

Un instant plus tard, le docteur dit au revoir à Thomas :

« Tu vois, je ne torture pas les enfants », dit-il avec un clin d'œil.

En sortant du cabinet, Thomas interroge maman : « Pourquoi le bébé a-t-il crié tout à l'heure ?

– Le docteur lui a sûrement fait une piqûre.

– Et il a oublié de m'en faire ? demande encore Thomas avec soulagement.

– Ton prochain vaccin aura lieu dans trois ans. »

Thomas se met à chantonner d'un air insouciant. Trois ans ? Voilà qui lui donne le temps de devenir vraiment très grand.

La visite chez le docteur, même pas peur !

1 Sais-tu que ta poupée aussi a besoin d'une visite médicale ? Enfile une chemise blanche de papa pour faire la blouse et prends ta trousse de docteur.

2 Écoute le cœur de ta poupée avec ton stéthoscope. Il bat normalement ? Parfait. Dessine un petit soleil sur le carnet de santé de ta poupée.

3 Examine les yeux et les oreilles de ta poupée. Tout va bien ? Tant mieux ! Dessine un autre petit soleil à côté du premier.

Fais un vaccin à ta poupée.
Elle pleure : berce-la, fais-lui
un bisou tout doux et pose
un sparadrap à l'endroit de la piqûre.

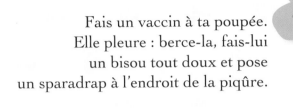

Prends la température de ta poupée avec
le thermomètre. Elle est un peu chaude ?
C'est normal après un vaccin : tu le sais
bien, toi qui es un grand médecin !
Avec le médicament magique, la fièvre
tombera vite !

Écris : « Ce bébé est en bonne
santé » sur le carnet de ta
poupée. Si tu ne sais pas
écrire, dessine un grand soleil.
Ce sera ta signature, celle
du Docteur-tout-va-bien !

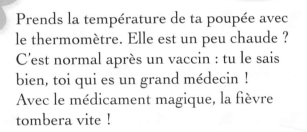

Le dessert mystère

« Youpi ! C'est l'heure de la cantine ! »
Aujourd'hui c'est vendredi, et Ouistiti la petite
guenon reste manger à l'école. Avec ses amis Zoreilles
le lapin, Carapace la tortue, Cocotte la poule
et Moustache le chat, elle court aux lavabos se laver
les pattes. Les cinq amis s'installent à leur table
préférée, sous une grande fenêtre ensoleillée.
Madame Torticoli aide les enfants à s'asseoir
correctement et apporte l'entrée.
« Chouette, des carottes râpées ! »
s'exclame Zoreilles.

Ouistiti hésite : elle n'en a jamais mangé. Quelle drôle de couleur orange !

« Tu veux de la vinaigrette ? » demande Cocotte à son amie.

Hou ! là, là ! c'est fort ! Ouistiti a envie d'éternuer à cause de la moutarde !

« C'est bon, ce plat, ça croque sous la dent, pense Ouistiti. Pas étonnant
que Zoreilles ait déjà fini. Il a des dents spéciales, lui ! »

Madame Torticoli apporte le plat suivant sur son chariot à roulettes.

« Miam, du maïs ! » se réjouit Cocotte en tendant son assiette.

« Avec du saumon ! » miaule Moustache, satisfait.

Ouistiti presse une rondelle de citron sur son poisson : ça pique la langue
et ça lui donne des frissons !

Zut ! Elle n'arrive pas à piquer les grains de maïs avec sa fourchette.

Madame Torticoli lui montre comment utiliser sa petite cuillère. Ouistiti
trouve cela bon : pas autant que les carottes râpées mais, en quelques
bouchées, elle a tout avalé !

Madame Torticoli sert de l'eau
aux enfants et dépose
le plat suivant.

« Formidable, de la laitue ! »

sourit Carapace.
Elle saisit les couverts
et se sert une assiette de
salade aussi grosse qu'elle.

Cette fois, Ouistiti n'a vraiment pas envie de se servir. De la laitue, elle en a
déjà mangé chez mamie : elle n'aime pas vraiment, mais elle veut bien goûter.

« C'est normal que Carapace adore la salade, pense-t-elle, elles sont
de la même couleur ! »

Madame Torticoli ne la force pas : Ouistiti a déjà bien mangé les autres plats.
Elle débarrasse la table et apporte le dessert.

« Quelle drôle de couleur jaune et brun… » déclare Moustache.

« Hum, la sauce est vraiment très sucrée ! » goûte Carapace.

« Ça ne me rappelle rien du tout », s'étonne Zoreilles.

« Oui, mais ça sent la banane », remarque Cocotte.

« Je sais, ce sont des bananes flambées ! » applaudit Ouistiti.

Elle est tellement contente qu'elle saute au cou
de Madame Torticoli pour l'embrasser.
Elle déguste une banane et s'exclame :
« Voici le meilleur dessert de toute la Terre ! »
Mais Zoreilles, Carapace, Cocotte et Moustache font une drôle de tête.
Ouistiti regarde Madame Torticoli, désolée :
« Pourquoi ne sont-ils pas heureux comme moi ? »
« Ce n'est peut-être pas leur dessert préféré, voilà tout. Mais pour les
encourager, tu peux leur montrer les desserts de la semaine prochaine. »
Alors Ouistiti lit à haute voix : « Lundi : gâteau de carottes, mardi :
tarte aux épinards, jeudi : pop-corn, vendredi : lait-fraise. »
Soudain, le visage des quatre amis s'éclaircit et Cocotte dit : « Aujourd'hui,
c'est le dessert de Ouistiti ! Je lève mon verre à mon amie ! »

« À notre amie Ouistiti ! »

Et les bananes flambées ont été avalées, les assiettes léchées,
jusqu'à la dernière goutte de caramel !

Pour bien manger à la cantine

1 Lave-toi bien les mains : manger de la peinture, du sable et des microbes, c'est dégoûtant !

2 Choisis un ami à qui donner la main dans le rang : tu pourras peut-être manger à la même table que lui.

3 Attache ta serviette autour du cou : tu seras joli et propre pour l'après-midi.

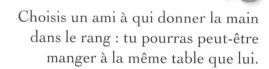

Goûte de chaque plat, même ceux
que tu ne connais pas
ou que tu n'aimes pas trop.
La cantine te réserve
d'excellentes surprises !

Demande de l'aide quand tu en as besoin :
couper ta viande, te servir de l'eau, éplucher
un fruit. Les dames de la cantine seront
ravies de t'aider.

Prends le temps de manger,
de boire, de sentir
le goût des aliments.
Manger est d'abord un plaisir !

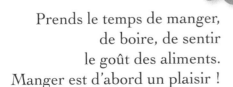

Un soir
pas comme les autres...

Ce soir, tout le monde est très excité à la maison !

Maman a passé sa journée à préparer de bons petits plats

et à disposer des bougies qui sentent bon

dans tous les coins du salon.

Papa ouvre des bouteilles en chantant des chansons.

Titouan et Clara ne veulent pas aller se coucher :

ils attendent les invités !

Gus, le petit chien, court partout et fait le fou.

Soudain : coup de sonnette !

Clara se précipite pour ouvrir la porte.

Titouan fait le chevalier servant : il prend les grands manteaux des

jolies dames et les pose sur le lit des parents.

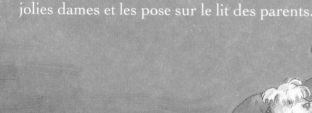

Clara fait la coquette : elle embrasse

tous les messieurs et fait visiter la maison.

« Maintenant au lit, mes petits chéris ! » dit maman.

Titouan et Clara ne sont pas du tout d'accord !

Titouan attrape le bol de cacahuètes et Clara

fait déjà passer les petits gâteaux apéritif.

« Comme ils sont polis ! » s'exclament les invités.

Maman sourit : quel bonheur d'avoir des enfants aussi gentils !

Mais soudain, elle devient toute rouge. Clara a renversé

tous les canapés sur la veste du grand monsieur barbu !

« Maintenant, au lit, Titouan et Clara ! » s'écrie maman, fâchée.

Cachés sous leurs couettes, Titouan et Clara n'osent plus bouger.

Ils entendent maman qui nettoie la veste du grand monsieur barbu.

Et puis soudain, plus un bruit !

Clara commence à pleurer : « J'ai peur ! »

Titouan fait le grand. Il chuchote :

« Viens ! On va espionner les invités, avec ma lampe de poche ! »

Dans le couloir tout noir, Titouan fait le fier avec sa lampe de poche,

Clara glousse tout bas.

Mais soudain, Gus le chien se met à aboyer !

« Zut, je lui ai marché sur la queue », s'exclame Titouan.

Maman ouvre la porte. Tous les invités éclatent de rire.

Papa s'écrie : « Vus ! Au lit, les coquins ! »

Dans son petit lit, Clara recommence à pleurer :

« Je veux maman ! »

Titouan chuchote : « Clara, j'ai vu un bon dessert dans la cuisine !

Viens, on va se régaler… »

Clara suit Titouan sur la pointe des pieds.

Dans la cuisine, Clara aperçoit une énorme pièce montée aux fraises.

La petite gourmande tend la main pour attraper la fraise qui est tout

en haut… quand, tout à coup, papa entre dans la cuisine, les mains

chargées d'assiettes. Il s'écrie :

« Au secours ! Il y a des petites souris dans la cuisine ! Elles vont

manger tout notre dessert ! »

Titouan et Clara courent se cacher en poussant des cris de souris.

Titouan est un peu fatigué. Il bâille et se frotte les yeux. Mais Clara

recommence à pleurer. C'est casse-pieds, parfois, une petite sœur.

Heureusement, Titouan a une bonne idée pour dormir tranquillement.

« Viens, Clara ! On va se coucher dans le lit de papa et maman…

là où ça sent bon le parfum de maman. »

Là, Titouan et Clara s'endorment, comme des bébés.

Ce sont les invités qui sont bien étonnés

quand ils viennent rechercher leurs manteaux !

Pour se coucher quand il y a des invités

1 Ce soir, il faut que tu sois grand, car papa et maman sont très occupés avec leurs invités.

2

S'ils sont d'accord, tu peux rester pour l'apéritif. Dis gentiment bonjour à tout le monde et ne fais pas le petit fou.

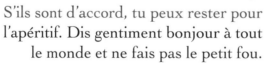

3

Passe les petits gâteaux sans les faire tomber et ne coupe pas la parole aux invités !

4

Quand maman dit : « Au lit ! »,
dis bonsoir, sans faire d'histoires,
et cours te cacher sous ta couette !

5

Maman va venir te faire
un petit bisou. Et zou !

6

Maintenant, chut !
Plus un bruit !
La journée est finie.
Bonne nuit, à demain matin !

Un Noël
avec ses cousins

Maud et sa petite sœur Rose entrent en courant dans la maison, s'arrêtent pour embrasser Mamie et Papi et repartent à la poursuite de leurs cousins. Paul et Louis, les grands, montent vers la salle de jeu.

« Venez vite, Jules, Maud et Rose,
        il faut préparer le spectacle des cousins ! »

Maud est enchantée, elle adore se déguiser et le grenier est rempli de vieux vêtements. Il y a même une malle où sont rangés des chapeaux, des chaussures, des gants... la malle aux trésors !

Ils s'habillent de toutes les couleurs. Rose a enfilé une longue robe de Mamie
et doit la tenir pour ne pas tomber. Maud se sent très grande avec les
chaussures à talons de sa maman et Louis fait le fier avec un chapeau gris
de Papi et son parapluie.

Ils dansent tous ensemble en chantant :

« Vive Noël, vive Noël, chez les grands-parents… »

Quand soudain, ils entendent, au loin, la voix de Papi :

« Venez vite, les enfants, à table ! »

Les cinq cousins dévalent les escaliers et s'installent en se bousculant un peu.

Après le repas, vient le moment de déposer ses chaussures
au pied du sapin, puis d'aller se coucher.

Tous les cousins dorment dans la même chambre.

À peine allongée, Maud reçoit un gros oreiller sur le coin du nez !

« C'est Jules ! » crie Rose.

Maud renvoie l'oreiller qui atterrit sur la tête de Paul. Une grande bataille commence. Debout sur les lits, tout le monde rit en même temps. Les oreillers volent dans tous les sens. Il y a même une petite plume qui s'est échappée d'un oreiller et qui vole. Maud l'attrape et la glisse dans la poche de sa chemise de nuit. Elle veut garder cette plume pour toujours, pour se souvenir de cette journée spéciale.

Presque endormie, elle entend encore Paul et Louis chuchoter, puis un grand BADABOUM !

Il fait grand jour et Papi les appelle : « Les enfants, venez vite, le Père Noël est passé ! »

185

Pour fêter Noël avec ses cousins

(Sur l'air de Jingle Bells)

Vive Noël !
Vive Noël !
Avec les cousins.

À nous les jeux, les parties de rire,
nous sommes les doigts d'la main (hein).

Vive Noël !
Vive Noël !
Avec les cousins.

Dans la maison d'Mamie Papi,
on s'amuse toujours bien (hein).

Vive Noël !
Vive Noël !
Chez les grands-parents.

C'est le temps des déguisements
et des cache-cache géants (an).

Vive Noël !
Vive Noël !
Chez les grands-parents.

On rit, on danse,
on est content,
qu'on soit petit ou grand.

La surprise de Petit Loup

« Au revoir, Papiloup ! Au revoir, Mamiloup ! »

Les vacances sont terminées. Petit Loup agite la main et regarde s'éloigner la voiture de Papiloup. Soudain, des larmes débordent au coin de ses yeux. Il n'arrive pas à les retenir et se sent tout bizarre, comme si une grosse boule était coincée dans sa gorge.

Maman Loup le réconforte : « Il ne faut pas être triste, mon loupiot… »

Petit Loup renifle : « Pourquoi ils ne restent pas chez nous tout le temps, snif ? Mamiloup peut t'aider à faire la cuisine et Papiloup, snif, il coupe du bois plus vite que papa !

– Ils ont aussi des choses à faire dans leur maison, tu le sais bien.

Allez, viens, je vais te préparer des crêpes…

– Avec de la confiture de Mamiloup ? »

Maman Loup sourit : « Bien sûr ! Mamiloup en a laissé deux pots, rien

que pour toi… »

La journée semble très longue à Petit Loup. Papa Loup est parti au travail.

Il n'a pas le temps d'emmener Petit Loup à la pêche, comme Papiloup.

Maman Loup s'occupe de Loupette, sa petite sœur, et elle n'a pas le temps

de jouer aux cartes ou à saute-mouton comme Mamiloup.

Le soir, Papa Loup lit un livre à Petit Loup. Papiloup, lui, il invente

des histoires de chasseurs qui font peur et Petit Loup adore ça !

Mamiloup, elle, elle connaît plein de berceuses et fait super bien

les « La, la, la » quand elle chante.

Rien que d'y penser, Petit Loup a encore envie de pleurer. Maman Loup vient

faire le bisou du soir et elle aimerait bien voir disparaître ce gros chagrin.

« Petit Loup, dans deux semaines, c'est l'anniversaire de Mamiloup et nous allons lui faire une belle surprise. »

Petit Loup se redresse d'un bond dans son lit. Il ne se sent plus triste, tout à coup !

« Nous irons tous les quatre chez Papiloup et Mamiloup, sans les prévenir, et tu apporteras un cadeau que tu auras préparé tout seul », dit Maman Loup.

Le lendemain, Petit Loup a posé sur son bureau un album avec des pages blanches, des feutres, les fleurs ramassées avec Mamiloup qu'il a fait sécher et toutes les photographies prises pendant les vacances.

« Ton album a douze pages. Si tu en décores une par jour, tu auras terminé ton cadeau la veille de notre visite surprise ! » explique Maman Loup.

Petit Loup s'applique, colle, dessine, ajoute des gommettes, et…

les jours défilent très vite !

« Ding - dong ! BON ANNIVERSAIRE, MAMILOUP ! »

Petit Loup la serre très fort dans ses bras et offre son cadeau, tout fier.

Il a aussi apporté un beau dessin à Papiloup. Quel bonheur de les revoir !

« C'est magnifique, Petit Loup ! dit Mamiloup. Et voici notre surprise :

un pull que j'ai tricoté pour que tu nous sentes toujours près de toi… »

Petit Loup a très envie d'un gros câlin.

« Papiloup, Mamiloup, je vous aime très fort ! »

Pour ne pas être triste quand les grands-parents sont partis

1

Ne garde jamais secret un gros chagrin.
Dis à papa et maman que tu es triste.
Cela te soulagera.

2

Regarde avec papa les albums photos :
ce sont tous les bons moments passés
avec tes grands-parents.

3

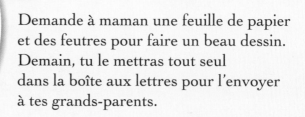

Demande à maman une feuille de papier
et des feutres pour faire un beau dessin.
Demain, tu le mettras tout seul
dans la boîte aux lettres pour l'envoyer
à tes grands-parents.

4

Regarde sur un calendrier
le nombre de dodos qui te séparent
des retrouvailles ! Tu peux faire
une croix chaque matin !

5

Et si tu téléphonais à tes grands-parents
pour leur raconter ta journée ?

6

Ce soir, avant de t'endormir,
fais le vœu de les retrouver
très vite et envoie-leur
des milliers de baisers !

Souriceau a perdu Mémo

Souriceau part au marché avec sa maman. Il enfile son pull et attrape Mémo par la trompe. Mémo, son joli éléphant tout gris, ne le quitte jamais.

Le marché, plein de couleurs et d'odeurs, tourne la tête de Souriceau. Dans la foule, il lâche la trompe de Mémo. Maman Souris a terminé ses courses.

« Allez, mon souriceau d'amour, à la maison. »

C'est l'heure de la sieste. Souriceau s'allonge et attrape… rien.

« Maman, où est Mémo ? demande Souriceau.

– Dans l'entrée peut-être. » Mais Mémo n'est ni dans l'entrée,
ni dans le salon, ni dans la chambre, ni nulle part dans la maison.

« Où est Mémo ? »

Souriceau se sent seul sans son Mémo. De grosses larmes coulent
sur son tout petit museau. Il a envie d'attraper son Mémo par la trompe
et de le serrer très fort, de caresser ses oreilles si douces, de lui grignoter
un peu les défenses…

« Maman! crie Souriceau.

Je l'ai oublié au marché ! »

195

Maman et Souriceau retournent alors au marché et en explorent tous les recoins.

Pas de Mémo !

« Papa, papa, nous n'avons pas retrouvé Mémo », dit Souriceau, de retour à la maison.

Papa Souris prend Souriceau dans ses bras, le serre très fort et dit :

« Tu sais, mon Souriceau, Mémo est sûrement perdu pour toujours.

– Pour toujours, sanglote Souriceau, mais alors, je ne le verrai plus ?

– Non, répond Papa Souris, plus jamais.

– Pauvre Mémo, en plus, il est tout seul ! Il doit avoir tellement peur.

– Ne t'inquiète pas, Souriceau, Mémo est au pays des doudous perdus.

– Le pays des doudous perdus ? s'étonne Souriceau. Qu'est-ce que c'est ?

– C'est un pays tout blanc et tout doux, répond Papa, un pays léger et gai,

qui accueille les doudous égarés.

– Mémo est là-bas ? demande Souriceau.

– Bien sûr, dit papa.

– Et que fait-il ?

– Il s'amuse avec d'autres doudous et pense à toi.

Allez, petit Souriceau, il faut faire la sieste, maintenant. »

Souriceau va dans son lit, mais il n'arrive pas à dormir. Il regarde par la fenêtre
et voit un gros nuage, doux comme une boule de coton. Il aperçoit même
une petite tache grise, qui ressemble à une trompe. Souriceau soupire :

« Adieu mon Mémo » Il s'endort enfin.

Il rêve que du haut de son nuage, Mémo le regarde et sourit.

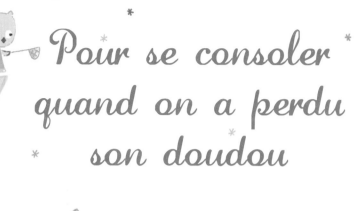

Pour se consoler quand on a perdu son doudou

1 C'est très triste de perdre son doudou et c'est normal d'avoir envie de pleurer. Demande à papa ou maman de te faire un gros câlin pour te consoler.

2 Imagine la vie de doudou au pays des doudous perdus, ses nouveaux amis, ce qu'il fait.

Fais un dessin de doudou et du pays des doudous perdus, tu peux l'accrocher dans ta chambre.

Dis bonne nuit au dessin de doudou, le soir, avant de te coucher.

Quand tu seras moins triste, si tu en as envie, demande à papa et maman de t'aider à choisir un autre doudou.

L'heure de la sieste

« Ooooh ! J'ai trouvé mon lit ! »

Manon tape dans ses mains ! Elle va faire la sieste pour la première fois à l'école, juste à côté de sa meilleure copine, Lola !

« Les enfants, déposez vos chaussures et vos pull-overs dans le panier ! » demande la maîtresse.

Manon ne se sent pas du tout fatiguée. Elle danse, debout sur son lit, et fait rire tous ses amis.

« Manon, allonge-toi ! Maintenant, j'éteins la lumière ! Bonne sieste, les enfants ! »

Lola chuchote d'une petite voix : « Ma maman me raconte toujours une histoire pour que je m'endorme. Comment je vais faire ?

– Pas de problème, les histoires, moi, j'en connais plein ! » dit Manon.

Occupée à accompagner un enfant aux toilettes, la maîtresse retrouve Manon en train de mimer un chevalier qui attaque un énorme dragon avec son épée. Tous les enfants du dortoir écoutent, fascinés, la petite fille.

Manon ne voit pas la maîtresse s'approcher :

« Zou ! Au lit, miss coquine ! Tu as besoin de dormir ! »

Dommage ! C'est tellement drôle d'être aussi nombreux dans une chambre !

À présent, les enfants dorment tous profondément, enfin presque tous…

Dans la pénombre, Manon sort de son lit et décide de présenter son doudou aux peluches des copains.

« Bonjour, Monsieur Lapin ! Je vous présente Roudoudou, mon serpent doudou ! Oh, l'ours de Julien est aussi grand que lui ! Et lui, le chien qui a une oreille cassée, comme il est drôle ! »

Quand la maîtresse, intriguée par des bruits, ouvre la porte, elle découvre tous les doudous des élèves assis en cercle, comme s'ils faisaient la ronde.

Manon s'est jetée sur son lit et serre les paupières très fort pour faire croire qu'elle dort.

« Hum, hum, Manon ?

– Ouiii ?

– Tu sais, c'est important de faire une bonne sieste pendant ta journée à l'école, explique la maîtresse.

– J'aime pas dormir quand maman et papa ne sont pas là. Et puis, cette couverture, elle pique un peu. Moi, je veux jouer avec les copains !

– Papa et maman pensent très fort à toi et ils seront fiers quand tu leur raconteras que tu t'es endormie toute seule, sans faire d'histoires, dans le dortoir de l'école ! »

Manon serre Roudoudou contre son cœur. Elle joue et se sent bien, rassurée par les paroles de sa maîtresse. Et… oh ! là, là ! ses yeux se ferment tout seuls !

Chut ! Elle s'est endormie…

Une heure plus tard, dans la cour de récréation. Lola appelle sa copine pour jouer à cache-cache : « Manon, où es-tu ? »

Lola fait tout le tour de la cour, vérifie dans les toilettes, regarde sous le toboggan. Sa copine a disparu !

La cloche sonne et la maîtresse se demande elle aussi où se cache Manon.

« Maîtresse, viens voir ! » crie Julien.

Au fond de la cabane à vélos, recroquevillée sur elle-même, Manon rattrape son sommeil en retard et dort comme une marmotte !

« Manon, réveille-toi ! » appelle Lola.

Manon sursaute et aperçoit tous ses copains qui la regardent, amusés.

« Le dortoir est un bien meilleur endroit pour faire la sieste, tu sais ! » se moque gentiment la maîtresse.

Manon a compris la leçon : « J'ai hâte de retrouver mon petit lit.

Demain, c'est promis,
je serai la Belle au bois dormant du dortoir ! »

Pour faire une bonne sieste à l'école

1 Avant de dormir pour la première fois à l'école, demande à ta maîtresse si tu peux visiter le dortoir avec papa et maman.

2 Explique à ton doudou que vous allez dormir tous les deux dans un nouvel endroit, avec d'autres enfants et d'autres doudous près de vous.

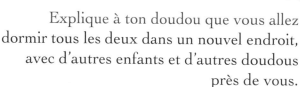

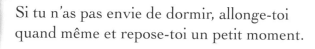

3 Si tu n'as pas envie de dormir, allonge-toi quand même et repose-toi un petit moment.

Ferme tes yeux et imagine que tu es dans un endroit magique, où tu vas faire des rêves merveilleux !

Tu ne dors toujours pas ? Pense à tout ce que tu as fait à l'école aujourd'hui et à tout ce que tu aimerais faire après la sieste…

Oh ! La sieste est déjà finie et tu as bien dormi ! Finalement, cela fait du bien de se reposer l'après-midi !

Un bras tout neuf !

Avec ses six garçons – Maximin, Martin, Corentin, Paulin, Constantin et Quentin –, madame Bijou joue souvent les infirmières. Une coupure par-ci, une écorchure par-là, une égratignure par ici, une éraflure par là-bas… Madame Bijou se promène partout avec sa petite trousse pleine de pansements, de rouge et de coton pour soigner les bobos et les bosses de tout le monde. Seulement, cette fois-ci, la trousse à pharmacie est bien inutile. Paulin a grimpé dans un arbre et… il n'a pas su en redescendre ! Ou plutôt, il en est redescendu trop vite ! Paulin est tombé par terre et son bras est tout tordu !

Alors, en avant, direction l'hôpital ! À l'hôpital, il y a des dames
en blanc partout et ça sent une drôle d'odeur. Paulin n'est pas très rassuré.

« Ils vont me couper le bras ? demande-t-il à sa maman.

– Bien sûr que non ! Le docteur va faire une radio de ton bras.

C'est un peu comme une photo et cela ne fait pas mal du tout.

Ainsi, le docteur pourra voir l'os de l'intérieur et repérer où il est cassé.

Puis il te fera un plâtre pour le remettre droit. »

Paulin se souvient de son grand cousin qui a eu un plâtre lui aussi.

« Ça fait mal ? demande-t-il.

– Pas du tout, le rassure sa maman.

– C'est lourd ?

– Pas trop. Mais c'est un peu gênant.

– Je devrai le porter pendant longtemps ?

– Pendant plusieurs jours, répond le
docteur qui vient d'arriver.

Mais, après, ton bras sera
comme neuf. Et puis, tu vas
te faire chouchouter ! »

Paulin sourit. Il a l'air très gentil, ce docteur… Et rigolo en plus !

Il lui enfile le bras dans une drôle de chaussette percée au bout pour laisser apparaître ses doigts ! Puis il enroule délicatement une large bande humide autour de la chaussette.

« Il faut attendre un peu pour que le plâtre durcisse », dit le docteur.

Et en effet. Quelques minutes plus tard, le plâtre est si dur que l'on peut faire TOC ! TOC ! dessus.

De retour à la maison, Paulin est accueilli par des cris de joie.

« Waouh ! s'écrie Constantin. Un plâtre ! Je peux le toucher ? »

Paulin est très fier. Il passe pour un héros aux yeux de ses frères.

« Je pourrai t'aider à faire ton cartable », propose Maximim.

« Tu veux dormir dans mon lit ? » offre Martin. Quel succès !

Le docteur n'a pas menti à Paulin. Tout le monde veut s'occuper de lui. Même grand-mère lui prête une aiguille à tricoter pour gratter doucement sous son plâtre si ça le picote.

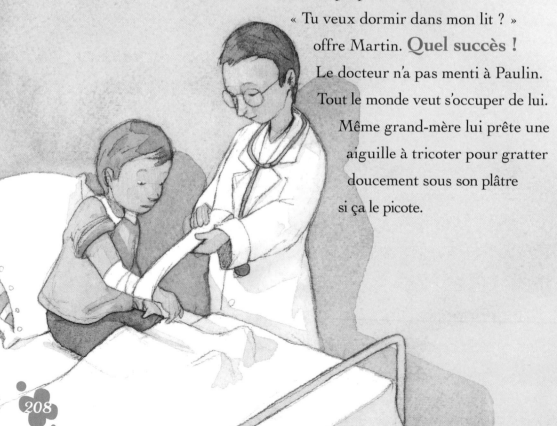

Quant à maman, elle lui promet de ne pas le gronder s'il en met un peu partout en déjeunant. Ce n'est pas facile de se débrouiller avec un bras dans le plâtre !

« Moi aussi, ze veux t'aider ! lance Quentin, le dernier de la famille.

— Mais tu es trop petit, lui dit Paulin.

— C'est pas vrai, ze suis pas trop petit ! Ze veux t'aider ! » Paulin réfléchit un instant. « Et si tu décorais mon plâtre ? » suggère-t-il. Quentin court chercher ses feutres et fait un joli dessin sur le plâtre de Paulin. Alors, tous signent le plâtre tout neuf de Paulin : Maximin, Martin, Corentin, Constantin, papa, maman et même grand-mère !

Un brin de toilette

1

C'est l'heure du bain ! Interdiction de mouiller ton plâtre. Il risquerait de devenir tout ramollo ! Glisse ton bras dans un sac en plastique et ferme le sac avec un ruban, tout en haut. L'eau ne pourra pas entrer dedans.

2

Garde bien le bras en l'air pendant que ta maman te savonne. Gare aux guilis !

3

Essuie-toi avec une serviette très douce en sortant du bain et retire le sac quand tu es bien sec. Bravo ! Rien n'est mouillé !

4

Lave-toi tout de même le bout des doigts avec un gant de toilette. Sinon, ils vont devenir tout noirs…

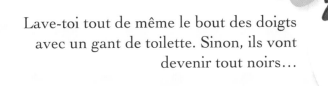

5

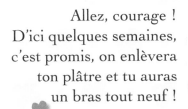

Connais-tu le pyjama spécial plâtre ? Prends un tee-shirt de ton papa pour y passer ton plâtre sans problème. Oh ! là, là ! Le petit fantôme…

6

Allez, courage ! D'ici quelques semaines, c'est promis, on enlèvera ton plâtre et tu auras un bras tout neuf !

Papi dit toujours oui !

« **A**llez viens Papi, partons escalader les dunes ! » crie Léon en attrapant son blouson.

Papi lui sourit en enfilant son manteau : « C'est parti, mon petit lion. »

Léon et son grand-père sortent de la maison et se dirigent vers la plage, main dans la main. Ils arrivent au pied de l'immense dune.

« Allez viens Papi, jouons au tire-fesses ! »

Papi ramasse une branche.

« Accroche-toi mon Léon, le remonte-pente va démarrer… »

Et, en évitant les oyats, Papi tire Léon jusqu'au sommet de la montagne de sable. Ensuite, ils redescendent en glissant, puis remontent et redescendent, encore et encore.

« Allez viens Papi, rentrons, je suis affamé », dit Léon en tirant
sur la manche de son grand-père.

Papi sourit : « C'est parti, mon petit lion », et les voilà repartis vers
la maison pour le goûter.

En chemin, Léon a une nouvelle idée.

« Allez viens Papi, on ne marche que
sur les dalles blanches ! » et il commence à
sautiller sur le trottoir, de losange blanc en losange
blanc.

Papi s'applique à le suivre.

« Allez Papi, et le dernier arrivé a un gage ! »
s'époumone Léon en accélérant.

– C'est parti, mon petit lion »,
répond Papi qui ne se
dépêche pas trop.

Bien sûr, Léon gagne
la course du trottoir
et attend Papi, un sourire
jusqu'aux oreilles.

« Tu veux bien me porter sur tes épaules jusqu'à la maison ?

– C'est parti, mon petit lion. »

Léon est fier comme tout, il regarde le monde de très haut et cela lui plaît bien de sentir l'odeur des cheveux de Papi.

Ils passent le seuil de la porte au moment où il commence à pleuvoir et Papi se débarrasse de son fardeau d'amour. Ils se lavent les mains et Léon s'attable devant un grand verre de lait et des gaufres au miel.

Le goûter et l'averse terminés, Léon repart de plus belle :

« Allez viens Papi, allons taquiner les escargots ! »

Dans le jardin, ils trouvent de jolis escargots gris que Léon examine de très près.

« Allez viens Papi, sautons dans les flaques !

– Non, Léon, ce n'est pas une bonne idée, tu vas être trempé ! »

214

Léon regarde attentivement son grand-père, qui ne dit pas souvent non.

Papi commence à être un peu fatigué, c'est la fin de la journée.

« Allez viens Papi… On va faire un gros câlin dans le canapé ! »

murmure Léon en se glissant dans les bras de son grand-père.

« Merci pour ce bel après-midi, j'ai de la chance d'avoir un Papi

qui a le temps de jouer avec moi. »

Pour passer du bon temps avec son grand-père

1

Fais un baiser à ton grand-père en arrivant chez lui.

2

Dis-lui ce que tu aimerais bien faire en sa compagnie, tout ce que tu n'as jamais le temps de réaliser à la maison.

Croise les doigts pour qu'il soit d'accord.

Surtout, écoute bien ton grand-père, essaie de lui obéir et de ne pas trop le taquiner. Il n'y a pas que lui qui dit oui !

N'oublie pas de le chatouiller un peu et de le remercier pour les bons moments partagés.

La folle nuit
de la poupée Lili

Une nuit, la poupée Lili se réveille avec une petite idée derrière la tête !
Un coup d'œil vers le lit de Valentine : la petite fille dort à poings fermés…
Vite, Lili traverse la chambre à pas de souris et va chatouiller les orteils
de Patapouf, l'ours en peluche, qui ronfle sous sa couverture :

« Lève-toi, Patapouf ! Nous allons préparer une grande fête
pour l'anniversaire de Pistache, le poussin mécanique ! »

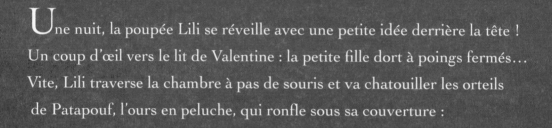

Patapouf, encore tout endormi, aide Lili à organiser une jolie dînette.
« Mais chut ! C'est un secret ! Il ne faut surtout pas réveiller Valentine…
Son papa et sa maman seraient très en colère. La nuit, tout le monde doit
dormir : les enfants, les poupées et les jouets ! »
La poupée Lili choisit la nappe, les verres, les assiettes, le gâteau et les bougies…
L'ours Patapouf gonfle les ballons.

Puis les deux amis installent leurs invités.

Pistache, le poussin mécanique, est à l'honneur, assis à la droite de Lili.

Chiffon, le pantin, et Ouaf-Ouaf, le chien à roulettes, font les clowns

et lancent des confettis. Tout le monde rit !

Soudain, Lili sursaute. Valentine s'est retournée dans son lit.

Plus personne n'ose bouger. Chiffon fait la statue.

Ouf ! Valentine s'est rendormie.

C'est la fête ! Tous les jouets font les petits fous.

Le petit train tourne autour de la chambre : « Tchou, tchou ! »

Dans la boîte à musique, la petite souris russe chante sous la neige.

219

L'éléphant gris joue du tambour et la montgolfière

décolle avec toute la famille lapin.

Une ribambelle de personnages sort des livres d'histoires : des rois,

des princesses, des petites filles et des petits garçons, des moutons,

le Petit Chaperon rouge et même un gentil loup !

Tous, ils se prennent par la main et dansent la farandole.

Quel tintamarre ! Cette fois-ci, Valentine s'assoit dans son lit et se frotte

les yeux, bâille puis se rendort.

« Ouf ! On a eu chaud ! dit Lili. Maintenant, il faut tout ranger ! »

Tous les jouets s'activent pour ranger la jolie dînette, les ballons

et les confettis.

Puis ils reprennent tous leur place.

Tous, sauf le gentil loup qui ne sait plus de quel livre il est sorti !

« C'est ce livre-ci ! » lui crie Lili.

Tout est bien rangé, comme avant la fête ! Lili pousse un vrai soupir

de soulagement… et s'endort, sur le plancher.

Quand Valentine se réveille, ce matin-là, elle trouve Lili endormie au pied

de son lit.

Elle regarde sa poupée en souriant et dit :

« Toi, tu as la tête de quelqu'un qui a fait la fête toute la nuit.

Alors zou ! Au lit, petite Lili ! »

Pour dire bonsoir à ses jouets, avant de se coucher

1 Installe ta poupée préférée, ton nounours bien-aimé, ton doudou chéri dans un petit lit bien douillet. Tu peux leur mettre une petite couverture et un oreiller…

2 C'est l'heure des petits bisous tout doux. N'oublie personne, ne fais pas de jaloux !

3 Maintenant, éteins la lumière et chante-leur une jolie berceuse. «Dodo, l'enfant do…»

4 Allez, zou, au lit ! Tes jouets ne veulent pas
se calmer ? Fais ta grosse voix, comme papa :
« Ce n'est plus l'heure de faire la fête !
La nuit, tout le monde dort, même les joujoux ! »

5 Si une poupée pleure, prends-la avec toi,
sous ta couette, pour un dernier câlin.
Compte bien ; à trois, tout le monde ferme les yeux.

6 Maintenant, chut !
Plus un bruit !
La journée est finie.
Bonne nuit, à demain matin !

223

Mondoudou

Avec son papa et sa maman, Jeanne la petite souris fait pour la première fois une croisière en nénuphar ! Bien sûr, elle a emmené Mondoudou !

Ce drôle de chat en peluche avec une seule oreille ne la quitte jamais.

Le voyage est terminé ! Monsieur et Madame Sourisset rassemblent leurs affaires et attrapent les valises.

« Jeanne, prends ton sac à dos ! »

Vite, vite, tout le monde à terre ! La petite souris se dépêche…

De retour à la maison, Jeanne a très envie de faire un câlin à Mondoudou.

Elle regarde dans son sac à dos, le vide, le secoue dans tous les sens…

aucune trace de son chat. Elle regarde sous le canapé, sous son lit,

sous le meuble de l'entrée, Mondoudou n'est toujours pas là.

« Maman, c'est toi qui as pris Mondoudou ?

Je ne le retrouve plus ! » demande Jeanne un peu inquiète.

« Vérifie dans ta valise ! » conseille sa maman.

Jeanne se précipite, sort tous ses vêtements à la vitesse de l'éclair.

Toujours pas de Mondoudou ! Elle voit la valise de son papa,

l'ouvre aussi, le cœur battant.

« Oh ! Mondoudou, je t'ai trouvé ! crie-t-elle tout à coup.

Oh, non ! C'est la paire de chaussettes de papa ! »

Jeanne sent une boule dans sa gorge.

Elle n'a jamais perdu Mondoudou…

Et la nuit commence à tomber !

« Je ne pourrai jamais dormir sans lui, maman ! »

Et de grosses larmes coulent doucement le long de ses joues.

Madame Sourisset la serre dans ses bras : « Ne pleure pas, ma chérie.

Je suis sûre que nous allons retrouver Mondoudou. Essaie de te souvenir

de la dernière fois où tu l'as vu. »

Jeanne repense à la croisière. Elle se rappelle tout à coup qu'elle montrait

toutes les plantes qu'elle voyait au bord de la rivière à Mondoudou.

« Il est resté sur mon nénuphar ! » s'écrie Jeanne.

« Très bien, je téléphonerai à Monsieur Crapaud demain matin. Je suis sûre

que quelqu'un lui a rapporté ton doudou à la capitainerie.

– C'est un endroit où dorment les doudous perdus ? »

demande la petite souris, de nouveau inquiète pour sa peluche qui n'a jamais

dormi ailleurs que dans son lit à elle.

Monsieur Sourisset lui caresse la joue et lui répond :
« Oui, et je suis certain que Mondoudou va se faire
plein de copains ! »
Jeanne se couche. Elle est encore un peu inquiète.
Sa maman lui a prêté un foulard tout doux à placer
contre sa joue et son papa pose à côté d'elle son vieil
ours en peluche qui protège des cauchemars.
Le lendemain matin, elle se réveille très tôt et écoute
avec attention sa maman parler au téléphone avec
Monsieur Crapaud : « Un chat en peluche avec une seule oreille ?
Oui, c'est bien celui que ma fille a perdu. Nous venons tout de suite
le chercher ! »
Jeanne pousse des cris de joie :

« Hourra ! Hourra !

On a retrouvé Mondoudou ! Dis, maman, tu crois que je pourrai moi aussi
dormir à la capitainerie avec les doudous perdus ? »

Pour ne pas être triste quand on a perdu son doudou

1 Ton doudou a disparu ? Vérifie qu'il ne se cache pas sous ton lit ou derrière un radiateur !

2 Prononce la formule magique : « Didoudoudida, doudou es-tu là ? »

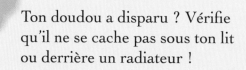

3 Demande à maman si elle peut t'aider à le retrouver et raconte-lui ce que tu as fait avec ton doudou dans la journée.

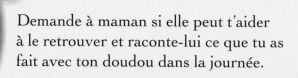

Regarde toutes les autres peluches
qui se trouvent dans ta chambre
et choisis celle que tu préfères.
Oh ! Celle-là, tu l'avais oubliée !

Rien que pour cette nuit, cette peluche
pourrait jouer à être ton doudou… Allez,
zou ! Installez-vous bien confortablement
dans ton lit.

Endors-toi vite…
Les doudous sont des farceurs,
mais ils finissent toujours
par réapparaître,
juste sous notre nez !

Le grand spectacle des petites chenilles

Par une belle journée, à la fin de l'hiver, les chenilles de petite section sortent de l'école très excitées. Elles se tordent de rire dans l'herbe !

Les parents papillons sont bien étonnés : « Qu'est-ce qui te met dans un état pareil, Euvanessa ?

– Kallima, Cladara, qu'avez-vous mangé à la cantine pour être aussi déchaînés ? »

Mais les chenilles ne veulent rien expliquer :

« C'est un secret avec la maîtresse !

– On ne peut rien dire ! »

Papilio, le plus petit de la classe, a du mal à tenir sa langue.

Il commence : « On prépare le spectacle de fin d'année, et…

– Chut ! Tais-toi ! » crie son amie Catacola.

Les parents papillons battent des ailes, très amusés, et ramènent tendrement les petites chenilles dans leurs cocons.

Le temps passe. Les chenilles de petite section continuent à rentrer chaque soir avec des airs de mystère.

Un mercredi, la maman de Kallima surprend sa fille à répéter des pas de danse en cachette. 1, 2, 3, 1, 2, 3 !

Elle tend le cou et se dandine doucement sur l'herbe.

« Qu'est-ce que tu fais, Kallima ? demande la maman curieuse.

– Rien ! » répond la petite chenille. Pour éviter d'autres questions, elle plonge le nez dans une salade et se met à grignoter les feuilles tendres de son goûter !

Le lendemain, jeudi, Papilio sort de classe avec des traces de peinture rouge et dorée sur ses anneaux.

« Qu'est-ce que c'est que ça ? demande son papa en lui faisant un bisou de papillon.

– On fabrique des masques pour la danse des serpents…

– Tais-toi ! » crie de nouveau Catacola.

Le petit bavard n'ose plus rien dire.

Enfin, le grand jour arrive : celui de la fête de l'école.

Vingt chenilles toutes joyeuses rampent vers l'école. Elles vont si vite que leurs parents doivent voler à tire-d'aile pour les suivre !

Dans la cour de récréation, la maîtresse a dressé une estrade. Sur un air de flûte, les petites chenilles font leur entrée. Déguisées en serpents multicolores, elles se tortillent de droite à gauche, un peu intimidées…

« Qu'elles sont mignonnes ! » disent les papillons.

Et ils applaudissent des deux ailes pour encourager leurs petits trésors.

Alors, rassurées, les petites chenilles commencent à s'enrouler sur elles-mêmes au son de la flûte, comme des serpents charmés par un dresseur.

Les parents sont fous de fierté : « Quelle souplesse !

– Bravo, que c'est beau !

– Regardez Papilio : il a fait un joli nœud avec sa queue ! »
La maîtresse, une grande dame papillon, bat la mesure avec
ses ailes dorées. Elle est très contente de ses élèves !
Mais, au milieu de la danse, les chenilles s'arrêtent tout
étonnées. Quelque chose les chatouille sur les anneaux.
Elles se secouent ensemble et…

Surprise !

Des ailes de papillons se déploient soudain sur leur dos !
Tous les parents poussent le même cri : « Oh ! »
La maîtresse fait un grand sourire : « Ce numéro
n'était pas prévu au spectacle ! Mais vos chenilles
ont grandi cette année et voilà le résultat. Elles
sont devenues de vrais petits papillons. »
Les parents applaudissent de plus belle,
les chenilles sont folles de joie.
La maîtresse réclame le silence :
« Nous allons quand même finir
le spectacle, si vous le voulez
bien. Ce sera la danse des
serpents ailés ! »

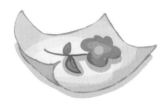

Pour réussir le spectacle de l'école

1 Une fois costumé, demande à ton copain si tout va bien dans ton déguisement.

2 Écoute bien les dernières consignes de la maîtresse. Ce n'est pas le moment de s'exciter entre copains !

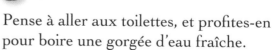

3 Pense à aller aux toilettes, et profites-en pour boire une gorgée d'eau fraîche.

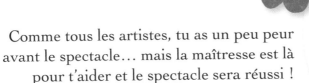

Comme tous les artistes, tu as un peu peur avant le spectacle… mais la maîtresse est là pour t'aider et le spectacle sera réussi !

Respire trois fois profondément au moment d'entrer en scène.

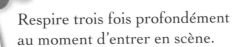

Ne regarde pas le public en essayant de trouver tes parents, cela te déconcentrerait. Une chose est sûre : ta famille est là, et elle est très fière de toi !

Edgar a mal aux oreilles

Dans la savane, tout est calme. Il est encore tôt et c'est bon de rester au lit. Madame Trompette a bien du mal à réveiller son éléphanteau.

« Edgar ! Il est l'heure de se préparer pour l'école ! » Edgar frotte sa trompe contre son oreiller et se cache sous ses grandes oreilles.

« Pourquoi tu prends de la colle ? marmonne-t-il.

– Je te parle de l'ÉCOLE ! Vite ! Ton chocolat va refroidir ! » Edgar se lève. Il se sent tout bizarre. Sa maman parle tout bas et il ne comprend pas pourquoi.

Sur le chemin de l'école, il retrouve ses amis Babou le singe et Pam l'hippopotame. « Tu as fait ton exercice de mathématiques ? lui demande Babou.

– Mais non, aujourd'hui, on ne fait pas de gymnastique ! »
répond Edgar. Babou se demande s'il a parlé assez fort :
« Je te parle DES ADDITIONS… hurle le singe.

– Aïe ! Tu me fais mal aux oreilles ! Ce n'est pas la peine
de crier ! »
Lorsqu'il s'installe dans la classe, Edgar a l'impression d'avoir
du coton dans ses grandes oreilles toutes molles.
Et puis, il a chaud, très chaud.
« Edgar, combien font 2 fois 6 ? demande la maîtresse.
– J'ai l'air d'une saucisse ? s'étonne Edgar.

– Ah ! Ah ! Ouh ! Ouh ! Elle est drôle ta blague ! »
Tous ses copains rient de bon cœur. Mais Edgar, lui, éclate
en sanglots.
La maîtresse vient le consoler : « Que se passe-t-il, Edgar ?
– Mes oreilles sont bouchées et j'en ai assez que tout le monde

se moque de moi ! Aïe, aïe, aïe !
J'ai trop mal, c'est horrible ! »
Et le voilà qui pleure de plus belle.
« Je vais téléphoner à ta maman pour
qu'elle t'emmène chez le médecin,
ne t'inquiète pas. »

Quelques heures plus tard, Edgar se retrouve chez le docteur Léon.

Le médecin tient dans sa patte une drôle de petite lampe.

« Ne bouge pas, Edgar, je vais regarder à l'intérieur de tes oreilles. »

Edgar a bien envie de partir en courant, mais sa maman le rassure.

« Écoute-moi, Edgar, dit le docteur Léon. Tes deux oreilles ont un bobo que l'on appelle une otite. C'est pour cette raison que tu as de la fièvre et que tu n'entends pas bien. À l'intérieur, c'est tout rouge et tout gonflé. Je vais te prescrire des médicaments pour te guérir. Il faut que tu restes bien au chaud dans ton lit et que tu te reposes. »

Madame Trompette a installé son éléphanteau sur son lit moelleux avec un gros oreiller pour soutenir sa tête bien droite. Edgar prend ses médicaments comme un grand, même s'il pense très fort qu'ils sont vraiment dégoûtants ! Sa maman lui caresse doucement ses grandes oreilles en lui murmurant une berceuse. Chut ! Il s'est endormi…

Le lendemain matin, Edgar se précipite dans la cuisine.

« Maman, maman ! Mon bobo est parti ! Youpiiii ! »

Et il fonce dans les bras de sa maman pour lui faire un énorme câlin d'éléphant : « Ne crie pas si fort, mon trésor, ou ce sera mon tour d'avoir mal aux oreilles ! »

Pour ne plus avoir mal aux oreilles

1

Reste bien au chaud dans ta maison, avec tes jouets bien-aimés et tes livres préférés. Profites-en pour dessiner et décorer ta jolie chambre.

2

Choisis un doudou et un beau foulard tout doux. Noue-le sur la tête de ton doudou en cachant ses oreilles.

3

Maintenant, tout est prêt pour prononcer la formule magique : « Abracadabra ! Vilaine otite, pars vite ! »

4

Avec maman, installe-toi sur ton lit bien douillet et pose ta tête sur un très gros oreiller. Il faut que ta tête soit bien surélevée.

5

Maman souffle à l'intérieur de ses mains et les place tout doucement sur tes oreilles. 1, 2, 3… Compte jusqu'à 10 ! Hop ! Quand maman retire ses mains, cela va déjà mieux !

6

...ottie dans les bras de maman, ferme ...s yeux et imagine que tu es au bord de la mer. Maman imite le bruit des vagues. Oh , mais c'est magique ! Ton bobo va bientôt partir !

Les petits mouchoirs de Mamie Lapin

Dans son armoire qui sent bon la lavande et le thym, Mamie Lapin range tous ses petits mouchoirs, repassés, amidonnés.

À fleurs, à carreaux, à pois, en coton, de toutes les couleurs…

Miette et Pépin, les petits lapins, aiment bien les mouchoirs de leur Mamie Lapin :

ils effacent tous les chagrins,

et soignent les bobos,

petits et gros.

Chez Mamie Lapin, quand Miette se réveille au milieu d'un vilain cauchemar, Mamie Lapin accourt pour la consoler. Elle glisse un petit mouchoir sous son oreiller de plumes douces, et aussitôt, tous les loups, les chauves-souris et les renards de la nuit s'enfuient, comme par magie.

Les jours de vacances chez Mamie, quand Pépin tombe d'un arbre
et accourt à la maison, un gros bobo au genou et un trou dans son
pantalon, Mamie Lapin sèche ses larmes et soigne le bobo avec
un petit mouchoir bien doux et aussitôt, tout est oublié !
Le jour de la grande lessive, Miette et Pépin frottent tous les petits
mouchoirs dans un grand bain de mousse de savon, et Mamie Lapin
les fait sécher sur la grande corde du jardin.

243

Mais un jour de bêtises et de grand vent, les petits lapins retirent toutes les pinces à linge… Quels garnements !

Un à un les petits mouchoirs s'envolent…

À fleurs, à carreaux, à pois, en coton ou de toutes les couleurs…

Les deux coquins courent et sautent pour les rattraper… mais les mouchoirs montent comme des oiseaux sauvages, toujours plus haut vers les nuages…

Miette et Pépin se mettent à pleurer.

« **Mamie va être très fâchée,** dit Miette.

– Sans ses mouchoirs, elle ne pourra plus nous consoler ! » continue Pépin.

Quand Mamie Lapin voit la corde vide et ses petits lapins en larmes, elle les prend sur ses genoux, les berce tendrement et leur dit tout bas :

« Voyons… Ce n'est pas un drame ! Je n'ai plus de petits mouchoirs, mais j'ai encore un grand foulard, pour essuyer vos larmes. »

Soudain, tout est calme, comme après la tempête.

Mamie Lapin fredonne une farandole de petits mots doux, comme des caresses :

« Une Mamie Lapin cache toujours dans son armoire mille et un secrets pour consoler ses petits lapins, même s'ils ont désobéi ! Mais promettez-moi de ne plus recommencer…

– Promis, c'est promis ! »

Dans la prairie de Mamie Lapin, deux petits lapins sautent et dansent. C'est Miette et Pépin, les petits lapins qui n'ont plus de chagrin !

Pour consoler les gros chagrins

1 Si tu as un gros chagrin, prends un joli mouchoir. Un mouchoir très doux, qui sent bon les câlins, pour sécher tes larmes.

2 Raconte à ton papi ou ta mamie ce qui ne va pas. C'est important de parler, quand on est triste…

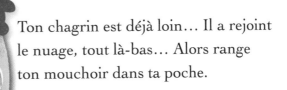

Souffle trois fois dans le mouchoir.
Ouvre la fenêtre avec ton papi ou ta mamie.
Secoue le mouchoir et regarde
ton chagrin s'envoler.

Ton chagrin est déjà loin… Il a rejoint
le nuage, tout là-bas… Alors range
ton mouchoir dans ta poche.

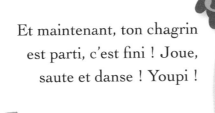

Et maintenant, ton chagrin
est parti, c'est fini ! Joue,
saute et danse ! Youpi !

Philomène a oublié Capuchon

C'est un beau dimanche d'hiver. Toute la famille de Philomène passe la journée à la campagne, loin de la maison, chez Pio et Mayette, ses grands-parents. Après le déjeuner, Philomène et son petit frère Émile jouent dans le jardin. Philomène se balance sur la grande balançoire avec Capuchon, son doudou à grelot, qu'elle promène partout, dans la capuche de son manteau. Bientôt, la cloche de l'église sonne quatre coups.

« Il faut rentrer ! », s'écrie maman.

Philomène embrasse Pio et Mayette et saute dans la voiture…

Le paysage défile quand, soudain,

Philomène s'aperçoit que Capuchon n'est pas là !

Elle s'écrie :

« J'ai oublié Capuchon

　　　　　sur la balançoire !

Il faut retourner chez Pio et Mayette

pour le chercher !

– C'est impossible ! dit papa.

Nous sommes déjà loin… »

Philomène est inconsolable.

En arrivant à la maison, papa compose

le numéro de téléphone de Mayette.

Avec sa voix guillerette, Mayette

rassure un peu Philomène :

« Ne t'inquiète pas, ma chérie. Quand

tu es partie, j'ai retrouvé Capuchon dehors.

Il s'est réchauffé au coin du feu avec Pio

et je lui ai préparé une bonne soupe

de légumes. Après un gros dodo,

il sera prêt à voyager jusque chez toi.

Demain, je ferai un petit paquet pour

te l'envoyer par la poste. »

Au dîner, Philomène n'a pas faim : Capuchon est trop loin…

Elle a la gorge si serrée qu'elle n'arrive pas à avaler.

Le soir, dans son lit, Philomène se tourne et se retourne. Elle n'arrive pas à s'endormir, sans Capuchon. Émile, son petit frère, a tout compris. Il se lève sans bruit et dit : « Je n'aime pas quand tu es triste. **Je te prête Pirouette,** c'est un doudou très gentil. Il ne ressemble pas à ton Capuchon, mais il est très doux, lui aussi. »

Philomène sourit, serre Pirouette dans ses bras, se blottit sous sa couette et s'endort. Cette nuit-là, elle fait un rêve merveilleux : elle entend tinter le grelot de Capuchon… Son doudou arrive, dans le traîneau du père Noël…

Mais, le lendemain matin, quand Philomène se réveille,

Capuchon n'est pas sur son oreiller.

Deux nuits passent. Chaque matin,
Philomène guette le facteur par la fenêtre.
Soudain, le voilà qui arrive sur son vélo,
sous une averse de gros flocons.
Sa voix résonne dans le vent
du petit matin :

« Mademoiselle Philomène,

j'ai un paquet pour vous ! »

Philomène a le cœur qui danse.
Elle ouvre son paquet et découvre Capuchon,
qui sent bon la maison de Pio et Mayette.
Dans un papier de soie, Mayette a enveloppé
une petite écharpe et des chaussons qu'elle a tricotés pour Capuchon.
Il y a aussi un petit pot de confiture et une longue lettre. Philomène est
si heureuse qu'elle enfile son manteau, cache son doudou dans sa capuche,
pousse la porte de la maison et court dans la neige, pour entendre tinter
le grelot de Capuchon…

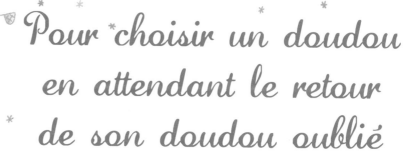

Pour choisir un doudou en attendant le retour de son doudou oublié

1 Tu as oublié ton doudou quelque part...
Sois très patient en attendant son retour
et choisis un autre doudou parmi tous
ses petits copains !

2 Tu peux choisir un doudou qui ressemble
à ton « vrai doudou » ou choisir un doudou
qui ne lui ressemble pas du tout !
L'essentiel est qu'il soit très doux…

Raconte à ton nouveau doudou
où tu as oublié ton « vrai doudou »
et comment ça s'est passé…

Ensemble, préparez un cadeau pour ton doudou
oublié. Tu peux lui faire un beau dessin…

Quand tu auras retrouvé
ton « vrai doudou »,
devenez copains, tous les trois !

253

Dauphine et la graine de rêve

Tous les soirs, maman dépose mille bisous sur les joues de Dauphine. Puis elle s'en va et ferme la porte. Dauphine se blottit sous sa couette et attend sagement le Marchand de Sable, en comptant les petits lapins qui dansent la ronde sur les murs de sa chambre.

Dauphine attend longtemps. Très longtemps ! Que fait-il, ce Marchand de Sable ? Il n'est donc jamais au rendez-vous ? Dauphine s'endort toujours avant qu'il passe !

Un soir, Dauphine a une idée.
Elle fabrique un avion en papier, demande à sa maman d'écrire un petit mot sur une aile : « Allez, Marchand de Sable, viens chez Dauphine ! »

Dauphine lance son avion dans la nuit.

L'avion fait trois loopings dans le ciel avant de disparaître…

Hélas ! Dauphine s'endort… sans avoir vu le Marchand de Sable.

Mais le lendemain soir, sous son oreiller, Dauphine découvre une lettre en étoile.

Une lettre qui sent bon le parfum de comète… Un petit mot est écrit dessus :

« Petite Dauphine,
Pour toi, j'accroche chaque soir une étoile dans le ciel.
Je l'allume quand tu te couches et je l'éteins au petit matin.
Ce soir, ouvre ta fenêtre… Je vais te faire une surprise…
Signé, le Marchand de Sable »

Dauphine se précipite à sa fenêtre. D'abord, elle ne voit que le noir de la nuit.

Puis, elle aperçoit une minuscule étoile qui scintille et se met à danser.

Puis, une autre apparaît, et encore une autre. Bientôt, des centaines d'étoiles dansent dans le ciel : un vrai ballet d'étoiles filantes !

Le lendemain soir, Dauphine soulève son oreiller et découvre…

une toute petite graine.

« Maman, qu'est-ce que c'est ? » demande Dauphine, tout étonnée.

Maman sourit : « On dirait une graine de rêve. Garde-la précieusement pour faire de jolis rêves. »

Dauphine la tient bien serrée dans le creux de sa main et s'endort…

La graine grandit, elle devient un arbre gigantesque qui passe par la fenêtre entrouverte. Dauphine entend une voix qui l'appelle.

C'est le Marchand de Sable !

L'écho de sa voix résonne dans la nuit : « Allez, petite acrobate ! Grimpe ! »
Sans effort, Dauphine monte une à une les branches de l'arbre et s'installe
bien confortablement sur le nuage du Marchand de Sable.
Ensemble, ils font le tour du monde pour endormir tous les enfants
de la Terre. Devant chaque maison, le Marchand de Sable arrête son nuage
et souffle dans sa flûte de roseau pour envoyer du sable magique sur le lit
des enfants.
Les paillettes de rêves dansent dans la nuit avant d'endormir les petits,
comme par magie.

Quand tous les enfants sont endormis, Dauphine et le Marchand de Sable
prennent un goûter bien mérité. Dauphine croque un croissant de lune.
Mais ses yeux se ferment tout seuls, elle tombe de sommeil et s'endort
doucement sur le nuage. Quand sa maman vient la réveiller, Dauphine
a encore dans la bouche un merveilleux parfum de sucre de lune…

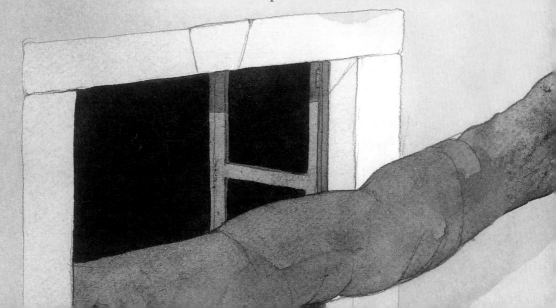

Depuis, chaque matin, c'est la même histoire.

Quand Dauphine ouvre les yeux, elle dit à sa maman :

« Il est encore passé me chercher cette nuit...

Quel magicien, ce Marchand de Sable ! »

Petite comptine du Marchand de Sable

1

Allonge-toi bien dans ton lit pour écouter
la comptine du Marchand de Sable.

2

Le Marchand de Sable fait le tour de la Terre.
(Dessiner le tour du visage avec le doigt.)

3

Avec sa baguette, il fait taire
tous les bruits du monde ! Chut !
(Fermer les oreilles.)

Il allume une étoile, rien que pour toi. Cling, cling !
(Taper deux fois sur les petites joues.)

Il souffle dans sa flûte, pour envoyer
du sable magique, qui endort les petits enfants.
(Fermer les yeux et souffler doucement
sur les paupières fermées.)

Et maintenant, chut !
Plus un bruit !
La journée est finie.
Bonne nuit, à demain matin !

Achevé d'imprimer en août 2011 par Holinail en Chine
Dépôt légal : octobre 2011